Cyfrinach

CRAIG
YR WYLAN

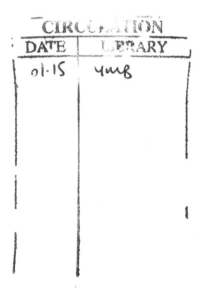

Diolch o galon i Meinir Wyn Edwards a staff y Lolfa am eu cymorth a'u cefnogaeth, ac i Gronfa Goffa T. Llew Jones am y sbardun a roddodd fodolaeth i'r llyfr yn y lle cyntaf.

Cyfrinach CRAIG YR WYLAN

Bet Jones

y Lolfa

Argraffiad cyntaf: 2014

Comisiynwyd y gyfrol hon gyda chymorth ariannol
Cyngor Llyfrau Cymru.

Cynllun y clawr: Sion Ilar

Rhif Llyfr Rhyngwladol: 978 1 84771 977 5

Cyhoeddwyd ac argraffwyd yng Nghymru gan
Y Lolfa Cyf., Talybont, Ceredigion SY24 5HE
gwefan www.ylolfa.com
e-bost ylolfa@ylolfa.com
ffôn 01970 832 304
ffacs 832 782

1
NEWID BYD

"Catrin! Huw! Dewch lawr. Rydw i a Dad angen siarad hefo chi!"

Be goblyn oedd yn bod rŵan eto, meddyliodd Huw yn ddiamynedd. Doedd dim llonydd i'w gael. Roedd o bron â chwblhau lefel pedwar ar ei gêm a doedd ganddo ddim diddordeb mewn gwrando ar bregeth arall am sut roedd yn rhaid iddyn nhw arbed arian. Arbed arian – dyna oedd yr un hen gân ers i'w dad golli ei waith fel rheolwr siop nwyddau trydanol yn y dre ryw chwe mis ynghynt.

Eisteddodd yn ôl ar ei gadair gyfforddus chwarae gêmau gan dynnu ar y cudyn o wallt cringoch a fynnai ddisgyn dros ei lygaid gwyrdd.

"Huw! Be ti'n neud yn y llofft 'na?" torrodd llais Megan, ei fam, ar draws ei gêm unwaith eto. "Ty'd, mae pethau pwysig i'w trafod!"

"Iawn, Mam, fydda i ddim yn hir. Dim ond isio gorffen y lefel yma ar yr Xbox. Dwi wed—"

"Xbox, wir! Ty'd lawr y munud 'ma!"

Wrth glywed y bygythiad yn llais ei fam, cododd yn anfoddog o'r gadair isel a mynd i lawr y grisiau. Pan gyrhaeddodd y gegin, gwelodd fod Catrin ei chwaer yno'n barod.

"Lle mae Dad 'ta? Ro'n i'n meddwl dy fod ti'n deud fod y ddau ohonoch chi isio gair hefo ni."

"Mae dy dad yn brysur ac mae'n well peidio tarfu arno fo ar hyn o bryd," eglurodd ei fam.

Roedd ateb miniog ar flaen tafod Huw. Prysur, wir! Prysur yn gorwedd ar y soffa yn gwylio rhaglenni teledu fel mae o wedi ei wneud pob dydd ers misoedd! Ond, am unwaith, penderfynodd gadw'n dawel gan ei fod yn sylweddoli bod ei fam dan ddigon o bwysau fel yr oedd hi wrth geisio cadw'r ddysgl yn wastad.

"Catrin! Rho'r ffôn 'na lawr am funud. Mi fydda i'n meddwl weithiau y byswn i'n cael gwell ymateb gen ti petawn i'n dy decstio di yn hytrach na thrio cael sgwrs gall wyneb yn wyneb."

"Iawn, Mam!" ebychodd Catrin gan ddiffodd ei ffôn. "Be sy mor bwysig fod yn rhaid i ni ei drafod o rŵan? Mae hi bron yn amser *Rownd a Rownd*."

"Mae be sy gen i i'w ddweud yn bwysig iawn. Dewch i eistedd wrth y bwrdd i ni gael trafod."

Wrth sylwi ar yr olwg ddifrifol oedd ar wyneb Megan, eisteddodd Catrin a Huw gan wynebu eu mam ar draws y bwrdd.

"Dach chi'n gwybod fod pethau wedi bod yn anodd arnon ni yn ariannol ers i'ch tad golli ei waith. Er 'mod i wedi dechrau gweithio shifft nos yn yr ysbyty a'n bod wedi gwerthu'r car mawr, mae gen i ofn na fedrwn ni fforddio byw yng Nghraig yr Wylan 'ma bellach. Mae'n rhaid i ni adael. Mae'r taliadau misol yn rhy uchel ac mae'r banc yn pwyso am ei arian…"

Gadael Craig yr Wylan! Canai geiriau ei fam fel cloch ym mhen Huw. Doedd hynny ddim yn bosib. Rhaid bod rhywbeth y gellid ei wneud. Pam na fyddai Dad yn chwilio am waith yn lle eistedd fel sach o datws yn syllu ar y teledu o fore gwyn tan nos?

"Fel dach chi'n gwybod, mae Dad wedi trio ei orau glas i ddod o hyd i swydd arall. Ond does dim gwaith addas i'w gael y ffordd yma. Mi wnaethon ni ystyried symud i Loegr – ond doedden ni ddim isio byw yn rhy bell oddi wrth ffrindiau a theulu. Felly, rydan ni wedi penderfynu symud i Dre. Rydan ni wedi dod o hyd i dŷ ar stad lle gallwn fforddio'r rhent ar fy nghyflog i."

"Cŵl!" meddai Catrin. "Mi fydd hi'n grêt cael byw yn Dre. Dwi wedi cael llond bol ar fyw yn bell o bob man hefo dim i'w wneud, dim ond syllu ar donnau'r môr drwy'r dydd. Mi fydda i'n gallu gweld fy ffrindiau ar ôl ysgol a mynd rownd y siopau bob dydd a…"

"Dwi ddim isio mynd!" gwaeddodd Huw ar draws llifeiriant ei chwaer, cyn gwthio'i gadair yn ôl a rhedeg allan.

Heb oedi, rhedodd nerth ei draed i lawr at y traeth bach cysgodol a orweddai wrth droed y creigiau lle safai ei gartref. Gan nad oedd y traeth fawr mwy na chilfach rhwng y creigiau ac nad oedd ffordd ato o'r tir, heblaw i lawr y llwybr serth o Graig yr Wylan, ychydig iawn a wyddai amdano. Yr unig un arall a arferai ddefnyddio'r lle oedd Wil Thomas, yr hen bysgotwr. Ond roedd yntau wedi gadael yr ardal, bellach.

Ar ôl cyrraedd y traeth, tynnodd ei dreinyrs a'i sanau a chamu'n droednoeth ar y tywod gwlyb. Roedd y llanw allan ac roedd yn rhaid iddo gerdded cryn bellter cyn cyrraedd y môr. Camodd ymlaen at ymyl y dŵr lle gallai deimlo'r gwymon llithrig yn cosi rhwng bodiau ei draed.

Erbyn hyn, roedd cymaint o ddagrau'n llifo dros frychni ei fochau fel na sylwodd ar y cranc bychan yn sgrialu wysg ei ochr oddi wrtho na chwaith ar y llamhidyddion yn codi fel dawnswyr urddasol ar wyneb y dŵr – golygfa brin y byddai wedi gwirioni arni ar unrhyw adeg arall.

Trodd ei gefn ar y môr a cherdded ymlaen ar hyd y tywod nes cyrraedd yr hen garreg fawr ar ganol y traeth, lle'r arferai dreulio oriau yn chwarae ym mhob tywydd. Weithiau byddai ei ddychymyg yn troi'r garreg yn forfil enfawr, dro arall yn llong môr ladron neu gastell Llywelyn. Ond lloches dawel oedd hi y tro hwn, lle y gallai Huw eistedd a meddwl.

Cododd ei ben ac edrych ar ei gartref a safai'n gadarn ar y creigiau, a'i hen furiau cerrig a'i ffenestri'n sgleinio'n goch wrth i olau'r machlud adlewyrchu oddi arnyn nhw. Roedd o'n meddwl y byd o'r lle ac ni allai ddychmygu byw yn unlle arall. Trodd i edrych i ben pella'r traeth, lle safai cwt cwch yr hen Wil Thomas. Doedd yr hen bysgotwr ddim yno bellach, gan i rai o'i deulu pell benderfynu ei symud i fyw i gartref henoed yng Nghanolbarth Lloegr. Pam oedd yn rhaid i bobl symud? Pam oedd yn rhaid i bethau newid?

Cofiodd am yr oriau hapus a dreuliodd yng nghwmni Wil Thomas. Pan oedd y tywydd yn rhy arw iddo fynd allan i bysgota, doedd dim yn well gan yr hen ŵr nag eistedd yn ei gwt bychan lle cadwai ei gwch, y *Leusa Lân*, ac adrodd straeon am y môr. Ambell waith byddai'n sôn amdano'i hun yn forwr ifanc yn rowndio'r Horn mewn stormydd mawr, neu'n ceisio osgoi *U-boats* yr Almaenwyr adeg yr Ail Ryfel Byd. Ond hoff hanesion Huw oedd y rhai am smyglwyr yr hen ddyddiau a arferai ddefnyddio'r traeth i gludo nwyddau anghyfreithlon i'r wlad.

"Roedd fy hen, hen daid yn un o'r smyglwyr, w'sti, ac mae gen i gof am fy nhaid yn dweud bod yna dwnnel yn arwain o'r traeth 'ma yn rhywle i fyny i Graig yr Wylan."

"Waw! Twnnel i'n tŷ ni?" gofynnodd Huw yn eiddgar. "Dwi ddim wedi gweld 'run. Dach chi'n meddwl ei fod o'n dal yna?"

"Ydi, yn saff i ti. Ond cofia, roedd yr hen smyglwyr yn graff iawn ac wedi gwneud yn siŵr fod y twnnel wedi ei guddio'n ofalus. Yn ôl Taid, bu'n rhaid i'r smyglwyr adael cist yn llawn aur yn y twnnel cyn iddyn nhw gael eu dal gan yr ecseismyn un tro. Mae'r trysor yno hyd heddiw am wn i."

"Be ydi ecseismyn, Wil Thomas?"

"Wel, rhyw fath o swyddogion oedden nhw, yn gwarchod y glannau rhag i'r smyglwyr ddŵad â nwyddau i mewn i'r wlad yn anghyfreithlon."

Roedd Huw wedi gwirioni ar straeon y smyglwyr a ryw flwyddyn ynghynt, pan oedd o ym Mlwyddyn Pump yn yr ysgol, fe wnaeth gywaith ar yr hanes. Wrth holi mwy ar Wil Thomas a hen bobl eraill yr ardal, a chwilota mewn llyfrau ac ar y we, daeth o hyd i ffeithiau diddorol am Graig yr Wylan. Roedd o wedi bwriadu ymchwilio ymhellach yn ystod gwyliau'r haf i weld a allai ddod o hyd i'r twnnel ac efallai'r trysor a oedd wedi ei adael ar ôl yno gan y smyglwyr. Petai'n gallu gwneud hynny, efallai na fyddai'n rhaid i'w fam a'i dad boeni am arian byth wedyn...

"Ro'n i'n meddwl mai fan hyn y byddet ti. Rho help llaw i mi ddod i fyny. Dwi ddim mor heini ag oeddwn i, 'sti."

Cododd Huw ar ei draed a rhoi help llaw i'w fam i ddringo i ben y garreg, lle'r eisteddodd yn dawel wrth ei ochr a rhoi cyfle iddo fwrw ei fol.

"Dwi'n deall yn iawn sut wyt ti'n teimlo, Huw bach," meddai Megan gan syllu ar wyneb gwelw ei mab o dan y brychni. "Dw innau'n teimlo'r un fath hefyd, 'sti. 'Dan ni i gyd wedi bod mor hapus yng Nghraig yr Wylan ac mae'n torri 'nghalon i feddwl am symud. Ond mae'n rhaid i ni fod yn ddewr ac yn gefn i Dad rŵan. Mae o'n gwybod nad ydan ni ddim isio gadael ac ac mae o'n beio ei hun am ei fod o'n ddi-waith, er nad ei fai o ydi fod y siop wedi cau. Felly, paid â gwneud pethau'n waeth drwy gwyno. Mi fydd yn rhaid i ni symud wythnos nesa, fel y gelli di ddechrau yn dy ysgol newydd yn Dre ar ôl gwyliau'r Pasg."

Teimlodd Huw fel petai ergyd arall wedi ei daro yn ei stumog pan glywodd ei fam yn sôn am ysgol newydd. Doedd bosib ei bod yn disgwyl iddo newid ysgol ar ben pob dim arall. Wedi'r cwbl, dim ond un tymor oedd ganddo ar ôl cyn ymuno â Catrin, ei chwaer, yn yr ysgol uwchradd yn y dre. Doedd y peth ddim yn gwneud synnwyr.

"Ond Mam, fedra i ddim gadael yr ysgol rŵan, mae 'na gymaint o bethau i'w gwneud tymor nesa: Penwythnos Glan-llyn a mabolgampau a..."

"Mae gen i ofn nad oes gen ti ddewis, Huw bach," torrodd ei fam ar ei draws. "Mi fydd yn rhaid i ni werthu'r car bach ar ôl i ni setlo yn Dre, a gan nad oes bysiau yn rhedeg i'r pentre yr adeg yna o'r bore, mi fydd hi'n amhosib i ti gyrraedd yr ysgol erbyn naw."

"Mi a' i ar fy meic bob dydd."

"Na, chei di ddim gwneud y fath beth. Mae 'na ddeg milltir rhwng y pentre a'r Dre ac mi fyddet ti wedi blino'n lân cyn cyrraedd yr ysgol bob bore. A beth bynnag, mi fydd o'n gyfle da i ti ddod i nabod plant Dre cyn i ti ddechrau yn yr Ysgol Uwchradd ym mis Medi."

"Ond be am Steddfod yr Urdd? Ti'n gwybod ein bod ni wedi mynd drwodd i'r Genedlaethol hefo'r gân actol. Fedra i ddim siomi Mrs Williams a'r lleill rŵan. Does 'na neb i gymryd fy lle i," ymbiliodd Huw.

Gwenodd Megan wrth glywed hyn. "Â phob parch, Huw, rwyt ti'n gwybod cystal â finna na fyddi di fawr o golled. Dwi'n siŵr y bydd y criw yn gallu ymdopi'n iawn ag un gocden yn llai yn y gân actol!"

Gafaelodd yn dynn yn ysgwyddau ei mab. "Ty'd yn ôl i'r tŷ rŵan, mae hi'n dechrau oeri. Bydd raid i mi ei chychwyn hi am yr ysbyty a fy shifft nos cyn bo hir."

★

"Hwn ydi'r tŷ? Does 'na'm lle i ni i gyd fyw mewn lle mor fach," meddai Catrin a'i llais yn llawn siom, pan barciodd Megan y car bach o flaen eu cartref newydd ar stad dlodaidd ar gwr y dre. "Yli golwg sy ar rai o'r tai! Fedra i ddim dŵad â fy ffrindiau yn ôl i fama!"

"Paid â bod yn gymaint o hen snoban!" torrodd ei mam ar ei thraws. "Rwyt ti'n dair ar ddeg ac yn ddigon hen i sylweddoli mai dyma'r unig beth fedrwn ni'i fforddio ar hyn o bryd. Unwaith y daw Dad o hyd i waith eto, mi fedrwn ni chwilio am dŷ mwy. Ond am rŵan, mae'n rhaid i ni wneud y gorau o be fedrwn ni ei fforddio."

"Gawn ni fynd yn ôl i fyw i Graig yr Wylan ryw ddiwrnod os caiff Dad waith?" holodd Huw wrth sefyll ar yr hances boced o ardd flêr o flaen ei gartref newydd. Roedd yntau wedi sylwi ar y tai tlodaidd, yn enwedig yr un yn union dros y ffordd. Pa fath o bobl oedd yn byw yn y fath le?

"Mae'n rhaid i ti anghofio am Graig yr Wylan, Huw. Mae 'na bobl wedi dangos diddordeb yn y tŷ yn barod, ac mi fydd o wedi ei werthu mewn ychydig wythnosau gyda lwc. Felly, go brin y byddwn yn mynd yn ôl yno byth eto."

Llenwodd llygaid Huw wrth glywed geiriau ei fam. Ni allai ddioddef meddwl am bobl ddiarth yn byw yn ei gartref.

Cerddodd y tri yn dawel i mewn i'r tŷ gwag, gan syllu ar y waliau moel di-raen.

"Fydd o ddim yr un lle ar ôl i mi ei sgwrio fo'n lân ac i'ch tad beintio'r waliau 'ma, gewch chi weld. Wedyn, pan fydd ein dodrefn ni yn eu lle, mi fydd o'n teimlo'n gartrefol braf."

"Ond fydd 'na ddim lle i hanner ein dodrefn ni yn fama!" meddai Catrin, gan edrych yn anobeithiol ar yr ystafell fyw fechan.

"Na, ti'n iawn. Dyna pam 'dan ni am drio cael rhywfaint o arian drwy eu gwerthu ar eBay. Mi fydd yn rhaid gwerthu rhai o'ch hen deganau a'ch gêmau chi hefyd a…"

"Mam? Lle ma pawb i fod i gysgu?" gwaeddodd Huw o ben y grisiau. "Dim ond dwy stafell wely sy 'ma!"

"Ia, dwi'n gwybod," atebodd ei fam gydag ochenaid dawel. "Mae gen i ofn y bydd yn rhaid i ti a Catrin rannu llofft."

"No wê! Dwi *ddim* yn rhannu hefo Huw!" gwaeddodd Catrin, gan daranu i fyny'r grisiau. "Tydi o ddim yn deg!"

Am unwaith cytunai Huw gant y cant â'i chwaer. Ni allai feddwl am ddim byd gwaeth na rhannu llofft gyda Catrin – hi a'i cholur a'i sentiach drewllyd. Ych a fi! Fyddai dim lle i'w lyfrau na'i bosteri pêl-droed, heb sôn am ei gadair chwarae gêmau cyfrifiadur.

"Mae hi'n stafell reit fawr ac mae digon o le i chi ynddi. Os rown ni lenni trwy'r canol, mi fydd gan y ddau ohonoch chi le preifat i chi'ch hunain."

"Tydi llenni ddim yn mynd i stopio sŵn Huw rhag tarfu arna i pan fydda i'n gwneud fy ngwaith cartref."

"Fy sŵn i? Be amdanat ti a dy fiwsig afiach? Ma…"

"Dyna ddigon! Mae'n rhaid i chi rannu a dyna fo!" meddai Megan yn bendant. "Mae gen i bethau amgenach i boeni amdanyn nhw!"

★

Hedfanodd wythnos olaf Huw yn ei hen ysgol a chyn pen dim roedd hi'n amser iddo ffarwelio â'i ffrindiau a'i athrawon.

"Paid â'n hanghofio ni ar ôl i ti symud i Dre," meddai Meurig ac Osian.

"Dim peryg o hynny," atebodd Huw. "Mi fyddwn ni hefo'n gilydd eto yn yr ysgol fawr ym mis Medi."

"Dyma i ti rywbeth bach i gofio amdanon ni," meddai Mrs Williams, ei athrawes, gan roi llyfr yn llaw Huw. "O wybod am dy ddiddordeb di mewn smyglwyr, dwi'n siŵr y gwnei di fwynhau darllen *Dirgelwch yr Ogof*."

Rhoddodd Huw'r llyfr yn ei fag yn ofalus gan ddiolch i'w athrawes garedig.

2

CROESO PLANT Y STAD

Ar ddiwrnod cyntaf gwyliau'r Pasg symudodd y teulu i mewn i'w cartref newydd, ac wrth edrych o'u cwmpas roedd yn rhaid i Catrin a Huw gyfaddef fod y tŷ yn edrych yn well o lawer ers i'w rhieni lanhau a pheintio'r lle. Roedd y symud wedi gwneud byd o les i Elfyn, eu tad, hefyd. Roedd o fel petai wedi cael diddordeb newydd mewn bywyd a bu'n gweithio'n galed i gael y lle i drefn cyn i'r dodrefn gyrraedd. Am y tro cyntaf ers misoedd gwelodd Huw gysgod gwên ar ei wyneb.

"Efallai ga i waith fel peintiwr ac addurnwr tai ar ôl hyn," meddai gan gamu'n ôl i werthfawrogi ei waith.

"Wel, bydd raid i ti ddysgu gadael y paent ar y waliau yn lle arnat ti dy hun!" meddai ei wraig gan sychu smotyn o baent o flaen ei drwyn.

Aeth Catrin a Huw i fyny'r grisiau gan adael eu rhieni i dynnu ar ei gilydd. Roedd hi'n braf eu clywed yn chwerthin unwaith eto.

Fel yr addawodd eu mam, roedd llenni trwchus wedi eu gosod ar draws eu hystafell wely, gan greu dwy ardal fach breifat i'r ddau.

"Mi gymra i ochr y ffenest," meddai Catrin, gan neidio ar y gwely sengl yr ochr honno i'r ystafell. "Mi fydda i angen golau i wisgo colur ac i wneud fy ngwaith cartref. Fi ydi'r hynaf, felly mae hi'n iawn imi gael dewis."

"Iawn, ond bydd rhaid i ti ofyn fy nghaniatâd i bob tro

y byddi di isio mynd trwy'r drws, achos mae hwnnw ar fy ochr i," atebodd Huw gan neidio ar ei wely yntau.

"Mwnci!" meddai Catrin gan anelu clustog at ben ei brawd.

Am y pythefnos nesaf, bu'r teulu wrthi'n brysur yn cael popeth i drefn. Ar ôl peintio pob twll a chornel o'r tŷ, dechreuodd Elfyn dacluso'r ardd a phlannu mymryn o lysiau a blodau. Glynodd Catrin ei phosteri *celebs* ar ei hochr hi o'r llenni yn yr ystafell wely, a gosododd Huw lun o Graig yr Wylan ar ei ochr yntau.

"Huw, mae gwyliau'r Pasg bron drosodd a dwyt ti ddim wedi symud gam o'r tŷ 'ma. Pam na ei di i chwarae yn y parc fel y gelli di ddŵad i nabod rhai o'r plant cyn i ti ddechrau yn yr ysgol ddydd Llun?"

Roedd ei rieni'n poeni amdano gan ei fod yn anarferol o ddistaw ers iddyn nhw symud ac roedden nhw'n credu ei bod hi'n hen bryd iddo ddechrau cymryd diddordeb yn ei fywyd newydd. Ond doedd gan Huw ddim awydd mynd allan ac yn sicr doedd o ddim eisiau cyfarfod plant y stad. A beth bynnag, roedd ei dad yn un da i siarad ac yntau wedi eistedd ar y soffa yn gwylio'r teledu am fisoedd!

"Yli Huw, waeth i ti heb â gorwedd ar dy wely yn syllu ar y llun 'na o Graig yr Wylan. Dwyt ti'n gwneud dim lles i ti dy hun drwy godi hiraeth. Yn Dre mae dy ddyfodol di rŵan."

"Dwi ddim yn trio codi hiraeth. Darllen y llyfr ges i gan Mrs Williams ydw i. Mae o'n sôn am smyglwyr."

Ond doedd dim troi ar Megan ac Elfyn, roedden nhw'n benderfynol o gael Huw o'r tŷ. Felly, gydag ochenaid, cododd Huw oddi ar ei wely ac aeth allan yn bur anfodlon. Safodd am ychydig ar y palmant gan edrych i fyny ac i lawr y stryd. Doedd fawr neb o gwmpas, diolch byth. Ond eto, teimlai ei fod yn cael ei wylio gan rywun a safai y tu ôl i lenni blêr y tŷ dros y ffordd. Llyncodd ei boer a dechrau cerdded yn araf i gyfeiriad y maes chwarae, lle'r oedd ffrâm ddringo, siglenni a llithren. Hen bethau tila o'u cymharu â'r creigiau ar y traeth, meddyliodd.

Dringodd i ben y llithren ac edrych o'i gwmpas ond doedd dim i'w weld heblaw tai a choncrit llwyd i bob cyfeiriad. Caeodd ei lygaid gan ddychmygu ei fod yn ôl ar y traeth ger Craig yr Wylan ac wrth wrando'n ofalus, gallai glywed sŵn cyfarwydd gwylanod yn sgrechian uwchben sŵn y traffig. Ond gwylanod tref oedd y rhain a oedd yn byw ar sbwriel a adawai pobl y tu allan i McDonald's a llefydd tebyg. Doedd gwylanod tref ddim mymryn gwell na llygod mawr. Mor wahanol oedd y gwylanod a nythai ar y creigiau islaw ei hen gartref. Gwylanod môr go iawn a fyddai'n plymio i'r dŵr i ddal pysgod.

Llithrodd Huw i lawr wyneb llyfn y llithren a glanio'n un swp yn y pwll mwdlyd ar y gwaelod. Dyna oedd i'w gael am beidio edrych lle'r oedd o'n mynd, meddyliodd.

Wrth iddo geisio brwsio'r mwd oddi ar ei jîns, daeth Huw'n ymwybodol fod rhywun yn ei wylio. Trodd i weld criw o blant yn sefyll y tu ôl iddo, gan syllu arno'n fygythiol. Camodd y mwyaf ohonynt ymlaen ato, bachgen caled a'i wallt wedi ei shafio at groen y baw.

"Be ti'n neud yn fama, Cochyn?" holodd mewn llais cras. "Parc ni 'di hwn! Dim ond plant y stad sy'n cael dŵad yma!" Yna, gwthiodd Huw a bu bron iddo golli ei falans a disgyn unwaith eto i'r pwll mwdlyd.

"Hitia fo, Liam! 'Dan ni ddim isio petha diarth yma!" gwaeddodd y lleill. Cododd Liam ei ddyrnau a tharo Huw yn ei wyneb cyn iddo gael cyfle i egluro ei fod yntau'n byw ar y stad. Erbyn hyn roedd mwy o blant wedi cyrraedd o rywle ac wedi ffurfio cylch o amgylch y ddau fachgen.

"Ffeit! Ffeit! Mala fo, Liam!" siantiodd y plant.

Wrth deimlo gwaed cynnes yn llifo i lawr ei fochau, collodd Huw ei dymer a cheisio ymladd yn ôl. Ond roedd Liam yn llawer cryfach a chyn hir roedd Huw druan yn gorwedd ar ei gefn ar lawr yn y mwd wrth droed y llithren a Liam yn sefyll uwch ei ben.

"Liam Jones! Gad lonydd i'r hogyn!"

Edrychodd Huw drwy gil ei lygaid i weld pwy oedd yn ceisio achub ei gam a synnodd wrth weld mai geneth dal, gwallt golau, mewn pâr o legins tyllog a hwdi pyglyd oedd yno.

"Dwi'n trio dysgu gwers iddo fo. Mae isio iddo fo ddallt nad oes ganddo fo hawl i ddŵad i'n parc ni. Dim ond plant y stad sy'n cael chwarae yn fama!" gwaeddodd Liam gan anelu cic at stumog Huw,

"'Sat ti wedi rhoi cyfle i'r hogyn, mi fasa fo 'di gallu deud ei fod o *yn* byw ar y stad. Ond rêl chdi, Liam Jones, mae hynny o frêns sy gen ti yn dy ddyrna di! Rŵan, ewch o 'ma. Gadwch lonydd iddo fo!"

Trodd Liam ei gefn ar Huw a gwthio ei ffordd allan

o'r cylch. Doedd o ddim eisiau tynnu Jodie Parry i'w ben. Doedd ganddo ddim gobaith yn erbyn ei thafod miniog ac yn sicr doedd o ddim eisiau croesi ei dau frawd mawr hi, Jordan a Jason. Sut oedd o i fod i wybod bod yr hogyn yn byw ar y stad?

"Dowch, hogia," meddai gan alw ei ffrindiau, "awn ni am gêm o ffwti a gadael hwn yn fama hefo'i gariad!"

Estynnodd Jodie hances bapur fudur o'i phoced a'i chynnig i Huw. "Sycha'r gwaed 'na, i mi gael gweld faint o lanast mae dyrna Liam wedi'i neud. Hm! Dwyt ti fawr gwaeth," meddai ar ôl archwilio'i wyneb. "Dim ond un briw bach uwchben dy lygad. Mi fendith mewn dim."

Cyn i Huw ddweud gair, roedd Jodie wedi gafael yn ei fraich a'i godi ar ei draed. "Dwi ddim yn meddwl y cei di drafferth hefo Liam a'i griw eto," meddai. "Ond mi gerdda i adra hefo chdi rhag ofn."

Wrth gerdded allan o'r maes chwarae, cyflwynodd Jodie ei hun i Huw ac egluro ei bod yn byw dros y ffordd iddo a'i bod wedi sylwi arno trwy'r ffenest yn cychwyn i'r parc.

"Ro'n i ofn y bysa 'na drwbl. Fel 'na mae hogia'r stad pan maen nhw'n gweld rhywun diarth. Dyna pam 'nes i dy ddilyn di."

Yna, dechreuodd ei holi o ble daeth y teulu a pham eu bod wedi symud i fyw i'r stad. Eglurodd Huw sut roedd ei dad wedi colli ei waith a'u bod wedi gorfod gwerthu eu hen gartref wrth y môr a symud i dŷ llai.

"Oeddet ti'n gallu gweld y môr o dy hen dŷ?"

"Oeddwn."

"Waw! Lwcus! Ar y stad 'ma dwi 'di byw erioed a dim ond un waith dwi'n cofio mynd i lan y môr hefo Dad, cyn i hwnnw adael."

Ar ôl cyrraedd y tŷ, diolchodd Huw i Jodie am ei achub rhag cael mwy o grasfa gan Liam.

"Ro'n i wrth fy modd yn rhoi Liam Jones yn ei le achos mae o 'di mynd yn rhy fawr i'w sgidia ers iddo fo gael criw o hogia Blwyddyn Pump i'w ddilyn o. Mae pawb ym Mlwyddyn Chwech wedi cael mwy na llond bol arno fo a'i hen geg fawr," meddai gan groesi'r ffordd at ei thŷ ei hun. "'Sat ti'n licio i mi alw amdanat ti fora Llun i fynd i'r ysgol?"

"Ia, mi fysa hynny'n grêt," atebodd Huw wrth wyro y tu allan i'r drws i dynnu ei dreinyrs mwdlyd. Doedd o ddim am gael ffrae gan ei fam am faeddu ei charpedi newydd.

"Be ar y ddaear sy wedi digwydd i ti? Mae dy jîns di'n fwd i gyd ac mae 'na waed ar dy wyneb di. Ti 'di bod yn cwffio?" holodd ei rieni wrth i Huw gamu i mewn i'r gegin.

Adroddodd Huw'r hanes am Liam Jones a'i griw yn ymosod arno a sut yr achubwyd o gan Jodie, merch y tŷ dros y ffordd.

"Mae pawb yn cwyno fod teulu dros y ffordd yn bobl arw," meddai Megan wrth arwain Huw i'r ystafell ymolchi lle gwnaeth iddo dynnu ei ddillad budur a golchi'r briw ar ei dalcen yn ofalus.

"Ond cofia, dwyt ti ddim isio neud gormod hefo hi, rhag ofn i ti gael enw drwg."

"Ond…"

"Na, gwranda ar dy fam, Huw," torrodd Elfyn ar ei draws. "Mae hi'n deud y gwir. Mae 'na ddigon o hen blant iawn yn byw ar y stad 'ma. Mi fasa'n well i ti neud ffrindiau hefo rhai ohonyn *nhw*."

Teimlodd Huw ei waed yn berwi. Sut gallai ei rieni fod mor snobyddlyd? Wedi'r cwbl, *nhw* fynnodd eu bod yn gadael Craig yr Wylan a dod i fyw i'r dre a *nhw* hefyd wnaeth fynnu ei fod yn mynd allan i chwarae a dod i adnabod plant y stad. Wel, roedd o wedi cyfarfod rhai o'r rheini'n barod a heblaw am ymyrraeth Jodie, Duw a ŵyr faint o niwed fyddai dyrnau Liam wedi'i wneud. Cododd ar ei draed, rhedeg i fyny'r grisiau a thaflu ei hun ar ei wely cul. Estynnodd am ei lyfr a chyn pen dim roedd wedi ymgolli unwaith eto yn anturiaethau Siôn Cwilt, y smyglwr.

*

"Mi ddeudodd Mam dy fod ti 'di bod yn cwffio ac wedi cael dy achub gan hogan dros y ffordd. Mae Jason, ei brawd hi, ym Mlwyddyn 11 a Jordan wedi gadael ers llynedd. Maen nhw'n deulu caled, 'sti. Bydda'n ofalus nad wyt ti'n eu tynnu i dy ben," oedd rhybudd Catrin wrth iddi fynd drwodd i'w rhan hi o'r ystafell wely yn nes ymlaen y diwrnod hwnnw.

"Wel, roedd Jodie'n dda iawn hefo fi, beth bynnag."

"Www! Pwy fasa'n meddwl? Chdi a Jodie Parry!"

"Taw, neu mi...!"

"Mae'n siŵr y bysa hi'n gallu bod yn beth bach digon del petai hi'n gwisgo'n well," meddai Catrin gan anwybyddu protest Huw. "Mi faswn i wrth fy modd yn cael croen clir a gwallt golau fel Jodie, yn lle'r brychni afiach 'ma," ychwanegodd gan rwbio ei bochau.

3
YR YSGOL NEWYDD

"Huw? Ti byth wedi codi? Brysia, wir, neu mi fyddi di'n hwyr ar dy ddiwrnod cynta," galwodd Megan o waelod y grisiau. "Mae dy wisg ysgol ar ben grisiau. Bydd yn rhaid i ti wisgo dy hen dop am heddiw, mae arna i ofn. Dwi heb gael cyfle i brynu un yr ysgol newydd i ti eto."

"Diolch yn fawr!" meddai Huw dan ei wynt. "Mi fydda i fel pysgodyn allan o ddŵr yn fy nhop coch yn lle top glas ysgol Dre!"

Gan ochneidio, trodd ar ei ochr a thynnu'r cwilt dros ei ben. Roedd ganddo boen yn ei fol ac roedd o wedi bod yn troi a throsi ers oriau. Doedd o ddim yn fabi, fel rheol, ond roedd meddwl am fynd i'r ysgol newydd yn ei lenwi ag arswyd. Beth petai'r bechgyn eraill i gyd fel Liam Jones, yn gwrthod rhoi cyfle iddo?

"Huw! Dwi ddim yn deud eto!"

"Iawn, Mam, dwi'n dŵad rŵan." Cododd yn araf a llusgo ei hun i'r ystafell ymolchi, gwisgo ei wisg ysgol a mynd lawr i'r gegin lle'r oedd ei fam wedi gosod powlen o greision ŷd o'i flaen. "Iawn, llynca hwn yn reit handi, i ni gael cychwyn."

"Dwi ddim isio i ti fynd â fi i'r ysgol, Mam. Mae Jodie wedi dweud y gwneith hi alw amdana i."

"Mae'n rhaid i mi ddŵad i arwyddo ffurflenni a phrynu top newydd i ti. Ac rwyt ti'n gwybod nad ydi dy dad na finnau isio i ti neud gormod hefo'r h—"

Chafodd ei fam ddim gorffen ei brawddeg cyn i gloch y drws ffrynt ganu. Cododd Huw oddi wrth y bwrdd brecwast, gafael yn ei fag a grogai ar fachyn yn y cyntedd a gadael am yr ysgol gyda Jodie, heb gymryd sylw o'i fam a oedd yn galw arno i ddod yn ôl i lanhau ei ddannedd.

*

Wrth gerdded ar draws y buarth tuag at ei ysgol newydd, allai Huw ddim peidio rhyfeddu at faint y lle. Roedd yr hen adeilad o friciau coch yn anferth, gyda dwy res hir o ffenestri uchel. Ar ddwy ochr i'r adeilad roedd drysau llydan a'r geiriau *Infants* a *Juniors* arnyn nhw. Credai Huw fod y lle'n edrych yn debycach i garchar ac yn hollol wahanol i'w hen ysgol fach gartrefol yn y pentref. Gwasgodd ei lygaid yn dynn i atal dagrau rhag llifo o flaen y criw mawr o blant a syllai arno.

"Lle gest ti afael ar y boi top coch, Jodie?" holodd rhywun. "Mae o wedi dŵad i'r ysgol rong!"

"Paid â chymryd sylw," meddai Jodie gan wthio ffordd iddi hi a Huw drwy'r criw. "Ty'd hefo fi, i gael top glas. Mae gen i syniad lle i gael un i ti."

Dilynodd Huw Jodie i mewn trwy ddrws yr Adran Iau ac i ystafell gotiau lle'r oedd rhesi o begiau ac ambell gôt yn crogi.

"Helpa dy hun," meddai Jodie gan bwyntio at bentwr o dopiau glas a adawyd yng nghornel yr ystafell. "Mae llwyth o dopia'n cael eu gadael yma bob wythnos. Mae'r athrawon yn mynd o'u coea gan nad ydi pobl yn rhoi enwau arnyn nhw a does neb yn trafferthu dod i'w nôl nhw. Fama fydda i'n cael top newydd bob amser. Yli, dyma chdi, bydd hwn yn dy ffitio di."

Tynnodd Huw ei dop coch a'i stwffio i'w fag cyn cymryd y top glas roedd Jodie wedi ei ddewis iddo. Er bod y llawes braidd yn fyr a staen grefi ar y blaen, roedd yn rhaid i Huw gyfaddef ei fod yn fwy cyfforddus ynddo gan ei fod yn edrych yn debycach i weddill plant yr ysgol.

Ar hynny, canodd cloch uchel a ffurfiodd y plant resi hir o flaen y drysau − y plant ieuengaf wrth ddrws Adran y Babanod ym mhen pella'r buarth a'r plant hŷn wrth ddrws yr Adran Iau. Dilynodd Huw Jodie allan o'r ystafell gotiau a gwthiodd y ddau eu ffordd drwy res hir o blant swnllyd Blwyddyn Chwech. Roedden nhw ar eu tymor olaf yn yr ysgol ac yn dangos i weddill y plant eu bod yn fwy na pharod i adael am yr ysgol uwchradd. Yn eu plith, safai Liam Jones yn uwch ei gloch na'r gweddill.

"Ylwch, hogia, mae cariad Jodie Parry wedi cyrraedd!" meddai'n sbeitlyd. Trodd gweddill y plant gan chwerthin a chwibanu'n uchel ar Huw druan a safai yng nghefn y rhes y tu ôl i Jodie.

"Blwyddyn Chwech, tewch wir a dangoswch esiampl i weddill yr ysgol!" torrodd llais y prifathro ar draws y clebar. "Ffurfiwch linell syth a cherddwch yn dawel i'ch dosbarth!" Dilynodd Huw'r rhes ar hyd coridorau hir ac i'r ystafell ddosbarth. Roedd popeth mor fawr ac mor ddieithr.

Pan sylwodd Mr Huws, yr athro dosbarth, ar y bachgen newydd a safai'n ansicr wrth y drws, aeth ato i'w groesawu a'i roi i eistedd gyda grŵp o blant ym mhen blaen y dosbarth. Wrth eistedd, sylwodd fod Jodie yn eistedd mewn grŵp yn agos i'r cefn a gollyngodd ochenaid o ryddhad pan sylwodd fod Liam Jones yn ddigon pell oddi wrtho.

"Dwi'n siŵr y gwnewch chi edrych ar ôl Huw," meddai'r athro wrth weddill y grŵp, cyn troi at ei ddesg a'r gofrestr. Cyflwynodd y plant eu hunain iddo yn ddigon clên ond ar ôl holi ychydig arno, colli diddordeb wnaethon nhw yn y bachgen o'r wlad. Felly, estynnodd Huw lyfr o'i fag a chymryd arno ddarllen, cyn i'r athro ddechrau'r wers.

Pan ganodd cloch amser chwarae, daeth Jodie ato a'i holi a oedd o'n gallu chwarae pêl-droed a phan atebodd Huw ei fod yn arfer bod yn gôl geidwad yn nhîm ei hen ysgol, roedd Jodie wrth ei bodd.

"Grêt! Ty'd hefo fi. 'Dan ni angen gôli newydd," meddai gan arwain Huw at y cae yng nghefn yr ysgol.

Roedd y bechgyn yn hapus iawn i Huw gael cynnig ar warchod y gôl a phrofodd yntau ei sgiliau drwy arbed y bêl sawl gwaith yn ystod sesiwn o gicio o'r smotyn. Ond pan ddaeth hi'n gyfle i Jodie gymryd cic, doedd ganddo ddim gobaith – roedd hi mor gyflym ac yn amhosib dyfalu i ba gornel o'r rhwyd y byddai'n anelu. Dyna pryd y deallodd Huw mai hi oedd seren y tîm.

"Jodie ydi'n prif sgoriwr," esboniodd y bechgyn wrth weld y syndod ar wyneb Huw. "Ni fysa ar dop y *league* heblaw bod ein hen gôli ni'n anobeithiol. Am bob gôl roedd Jodie'n sgorio, roedd o'n methu dwy!"

Wrth gerdded yn ôl i'r dosbarth ar ddiwedd yr amser egwyl roedd Huw yn llawer hapusach. Doedd yr ysgol newydd ddim mor ddrwg wedi'r cwbl a theimlodd falchder mawr pan ddaeth Gethin Roberts, y capten, ato a chynnig lle iddo yn y tîm.

"Rŵan dy fod ti wedi cyrraedd, mae cyfle i ni ennill y gêmau sy ar ôl cyn diwedd y tym—"

"Hy! Dwi ddim digon da rŵan fod y boi newydd 'di cyrraedd!" torrodd llais cras Liam Jones ar draws. "Digon hawdd arbed ambell benalti ond sut un fydd o pan fydd rhaid wynebu chwaraewyr tîm arall – cuddiad y tu ôl i Jodie Parry eto ma siŵr, fel ag y gwnaeth o yn y parc!"

"Taw, 'nei di, Liam!" meddai Gethin. "Mae Huw'n amlwg yn well na chdi. Mae pawb yn cofio sut 'nest ti adael i dîm Ysgol Llan sgorio deg gôl yn ein herbyn ni cyn Pasg."

Teimlodd Liam ei waed yn berwi ac roedd o'n benderfynol o dalu'r pwyth yn ôl pan gâi afael ar Huw ar ei ben ei hun.

★

"Wyddwn i ddim dy fod di'n bêl-droediwr mor dda," meddai Huw wrth gerdded adref o'r ysgol gyda Jodie y prynhawn hwnnw.

"'Nest ti ddim gofyn! Hefo dau frawd mawr fel Jordan a Jason, doedd gen i ddim dewis. Nhw ddysgodd i mi sut i daclo ac i benio a ballu."

Edrychodd Huw drwy gil ei lygad ar yr eneth ryfeddol a gerddai wrth ei ochr. Roedd hi mor wahanol i'r genethod eraill roedd o'n eu hadnabod ac yn sicr yn wahanol iawn i Catrin â'i cholur a'i dillad ffasiynol.

"Mi alwa i amdanat ti bore fory eto os lici di," meddai Jodie cyn croesi'r ffordd at ei thŷ.

"Iawn, ond mi wna i dy gyfarfod di ym mhen draw'r stryd," atebodd Huw oherwydd gwyddai na fyddai croeso i Jodie gan ei rieni.

"Lle ar y ddaear gest ti'r top yna? Mae o'n staeniau drosto! Paid â deud dy fod wedi gwisgo hwnna drwy'r dydd?" holodd Megan pan gerddodd Huw drwy'r drws. Wedi iddo egluro sut roedd Jodie wedi dod o hyd i'r top yn yr ystafell gotiau, estynnodd ei fam un newydd iddo a brynodd y bore hwnnw pan alwodd yn swyddfa'r ysgol. "Does wybod pa argraff 'nest ti ar bawb wrth wisgo top mor fudur ar dy ddiwrnod cynta!"

"Gad lonydd i'r hogyn. Doedd hi ddim yn hawdd iddo ynghanol plant diarth ac ynta'n gwisgo'n wahanol i bawb arall," torrodd Elfyn ar draws ei wraig. "Ty'd i'r gegin i gael diod ac fe gawn ni hanes dy ddiwrnod i gyd." Synnodd Huw wrth glywed ei dad yn cadw ei gefn ac yn dangos diddordeb ynddo, fel yr arferai wneud cyn iddo golli ei swydd. Yna, synnwyd Huw ymhellach gan ymateb ei dad pan glywodd ei fod wedi ennill ei le fel gôli yn y tîm pêl-droed.

"Da iawn ti. Rwyt ti'n gôli bach da ac os ei di i wisgo dy hen ddillad rŵan, fe awn ni i'r ardd gefn i ymarfer penaltis. Dwi wedi gosod dy hen gôl di i fyny tra oeddet ti'n yr ysgol."

★

Yn ei wely'r noson honno, sylweddolodd Huw ei fod yn teimlo'n hapusach nag a wnaeth ers iddo glywed ei fod yn gorfod gadael Craig yr Wylan. Yn wir, aeth oriau heibio hcb iddo hiraethu am ei hen gartref. Doedd bywyd yn y dref ddim yn ddrwg i gyd wedi'r cwbl.

Yr ochr arall i'r ffordd, gorweddai Jodie yn ei gwely hithau yn meddwl pa mor braf oedd cael ffrind newydd fel Huw. Roedd hi wedi bod yn reit unig yn yr ysgol gan ei bod hi'n ormod o domboi i'r genod eraill ac yn gwisgo dillad mor dlodaidd. Gwyddai hefyd mai'r unig reswm roedd y bechgyn yn ei derbyn oedd oherwydd ei sgiliau pêl-droed. Byddai'r rheini'n ei hanwybyddu hefyd oddi ar y cae. Ond roedd Huw yn wahanol. Doedd o ddim yn edrych i lawr arni ac roedd o ei hangen hi i'w warchod rhag Liam Jones a fyddai'n siŵr o fod am ei waed, gan iddo gymryd ei le fel gôli tîm yr ysgol.

4
TEULU'R PARRYS

Hedfanodd y dyddiau a'r wythnosau heibio fel y gwynt gyda'r holl brysurdeb yn y dosbarth – profion diwedd Cyfnod Allweddol i'w sefyll a ffolio o waith ysgrifenedig i'w gwblhau a'i drosglwyddo i'r Ysgol Uwchradd. Wrth lwc, doedd y pethau hyn yn fawr o boen i Huw gan ei fod o'n hoff o ddarllen ac ysgrifennu, yn wahanol i Jodie druan.

"Gas gen i ddarllen a sgwennu," cwynodd wrth Huw rhyw ddiwrnod wrth gerdded adref o'r ysgol. "Rwyt ti mor lwcus dy fod ti'n gallu gwneud petha fel'na mor dda. Mae Mam yn deud 'mod i'n dwp ac mai gwastraff amser ydi i mi fod yn yr ysgol o gwbl."

"Ti ddim yn dwp, Jodie," atebodd Huw. "Ti'n llawer gwell na fi am ddatrys problemau Mathemateg, a ti ydi chwaraewr pêl-droed gorau'r ysgol."

"Ond 'neith Mathemateg a sgiliau ffwtbol ddim helpu i wneud y gwaith cartref heno. '*Disgrifiad o'ch hoff le*'! Dwi byth yn gadael y stad 'ma a does dim byd gwerth ei ddisgrifio yn fama!"

"Dwi'n cofio ti'n sôn dy fod wedi bod yn y ffair. Pam na wnei di ddisgrifio hynny?"

Gostyngodd Jodie ei phen cyn cyfaddef, "Does gen i ddim y geiriau i ddisgrifio, a'r cwbl dwi'n ei gofio ydi'r sŵn a'r lliwiau llachar a blas melys y candi fflos pinc a…"

"Felly, be wyt ti'n ei wneud rŵan?"

"Dim ond deud be dwi'n cofio…"

"Yn union! Dyna mae Mr Huws wedi gofyn i ni ei wneud. Be arall wyt ti'n cofio?"

Erbyn iddi gyrraedd adref roedd Jodie wedi ail-fyw ei hymweliad â'r ffair ac yn barod i geisio rhoi ychydig o frawddegau ar bapur. Dros y ffordd, cliriodd Huw gornel iddo'i hun ar y bwrdd bach wrth ochr ei wely ac wrth i'r geiriau lifo ar dudalennau ei lyfr gwaith cartref, teimlai ei fod yn ôl unwaith eto yng Nghraig yr Wylan.

★

"Wel, Blwyddyn Chwech, mae'n rhaid i mi gyfaddef 'mod i wedi fy mhlesio gyda'r gwaith cartref y tro hwn. Mae llawer o ddisgrifiadau gwych o'ch hoff lefydd ac mi fydd yr ymdrechion yn ychwanegiadau da i'ch proffiliau. Mae dau ddarn o waith yn arbennig wedi fy mhlesio. Dyma'r gwaith gorau i mi ei gael gan Jodie Parry erioed. Biti nad ydi hi'n bresennol i dderbyn y ganmoliaeth am ei disgrifiad o'r ffair," meddai Mr Huws gan edrych dros ei sbectol tuag at sedd wag Jodie.

"Yna," ychwanegodd yr athro, "mae disgrifiad Huw Rowlands o'i hen gartref yn waith arbennig iawn hefyd. Huw, mi hoffwn i ti ddarllen y darn i ni."

Teimlodd Huw ei fochau'n gwrido a chrynai ei goesau wrth iddo godi i wynebu'r dosbarth. Llyncodd ei boer a dechrau darllen yn betrusgar. Ond erbyn iddo gyrraedd y man lle y disgrifiai'r traeth, roedd wedi ymgolli ac anghofiodd ei nerfusrwydd yn llwyr. Pan ddarllenodd y rhan lle disgrifiai straeon Wil Thomas, yr hen bysgotwr, gellid clywed pìn yn disgyn wrth i'r plant gael eu hudo gan hanesion yr hen ŵr.

"Waw! Oeddet ti'n byw mewn lle fel 'na go iawn?" holodd rhai o'r plant wrth groesi'r buarth ar eu ffordd adref y prynhawn hwnnw. "Oes 'na dwnnel cudd yno go iawn? 'Nest ti chwilio am y trysor? Mae'r lle'n swnio'n cŵl!" Eglurodd Huw nad oedd wedi cael cyfle i chwilio'n iawn am y twnnel na'r trysor cyn i'r teulu orfod gadael. "Ond dwi'n bendant eu bod yno yn rhywle."

Ar ôl ffarwelio â'r plant, trodd Huw i gerdded ar ei ben ei hun i gyfeiriad y stad gan resynu nad oedd Jodie wedi clywed Mr Huws yn canmol ei gwaith am unwaith. Arhosodd amdani ym mhen draw'r stryd y bore hwnnw fel arfer, ond erbyn pum munud i naw roedd yn amlwg nad oedd hi am ddod. Tybed beth oedd yn bod? Efallai y dylai alw i'w gweld hi ar y ffordd adref...

"Hei, chdi, Cochyn! Pwy wyt ti'n feddwl wyt ti'r pen bach? Yn dangos dy hun hefo dy hanesion am dy dŷ crand ar lan môr. Os oedd y lle mor cŵl, pam wyt ti 'di dŵad i fama i fyw, 'ta?" torrodd llais cras Liam Jones ar draws ei feddyliau wrth iddo gerdded heibio i hen ffatri wag a safai ar gyrion y stad.

Dechreuodd Huw redeg ond cafodd ei rwystro gan dri o fechgyn Blwyddyn Pump a safai yn ei lwybr.

"Gafaelwch ynddo fo, hogia!" gorchmynnodd Liam. "Dwi 'di bod yn aros yn hir i gael gorffan rhoi cweir i hwn."

Wrth glywed bygythiadau Liam, ceisiodd Huw ryddhau ei hun o afael y bechgyn ond doedd ganddo ddim gobaith yn erbyn y tri a'i llusgodd i gefn y ffatri. Safodd Liam o'i flaen yn fygythiol gan rowlio llewys ei grys yn araf tra daliai'r bechgyn eraill eu gafael yn dynn yn Huw.

"Gawn ni weld faint o foi wyt ti heb Jodie Parry'n gafael yn dy law di," meddai, â gwên fileinig ar ei wyneb. Cododd ei ddyrnau.

"Hei! Be dach chi'n neud yn fama? Heglwch hi, cyn i ni ollwng y ci 'ma arnoch chi!" daeth lleisiau o'r tu ôl iddyn nhw.

Pan welodd y bechgyn llai pwy oedd yno, dyma nhw'n rhedeg i ffwrdd gan adael Liam i wynebu Jordan a Jason Parry a'u ci ffyrnig, oedd yn chwyrnu'n fygythiol gan dynnu ar ei dennyn.

"Be oeddat ti am neud i'r hogyn 'ma? Tydi pedwar yn erbyn un ddim yn deg iawn. Be am i ti drio cwffio'n fy erbyn i? Gawn ni weld faint o foi wyt ti wedyn!" meddai Jordan gan bwnio Liam.

"Neu ella y bysa'n well gen ti i ni ollwng Rex yn rhydd," awgrymodd Jason. "Fysa fo fawr o dro yn dy orffan di!"

Wrth glywed hyn, dechreuodd Liam grynu fel deilen. "Na! Plis! Chwarae oeddan ni. Do'n i ddim am ei frifo fo go iawn. Dim ond gêm oedd hi!"

"Gêm! Dim felly oedd hi'n edrach i ni," atebodd Jordan gan droi at Huw. "Hogyn dros ffordd wyt ti, 'de? Ffrind Jodie ni. Nath yr hogyn 'ma dy frifo di?"

"Na, dwi'n iawn," atebodd Huw yn nerfus. Roedd o wedi clywed hanesion am frodyr mawr Jodie a doedden nhw ddim yn rhai i'w croesi.

"Yli," trodd Jordan yn ôl at Liam, "os glywn ni dy fod ti wedi cyffwrdd pen dy fys yn yr hogyn 'ma eto, mi

falan ni di! Dallt? Sneb yn gneud dim i ffrindia'r Parrys.
Rŵan, hegla hi, cyn i ni ollwng Rex arnat ti!"

Cyn i Jordan orffen ei frawddeg roedd Liam Jones yn
rhedeg am ei fywyd o iard gefn y ffatri.

"Chei di ddim trafferth hefo hwnna eto," meddai Jason
wrth Huw. "Ty'd, gei di gerdded adra hefo ni a Rex.
Fysa'r babi Liam 'na ddim wedi meiddio gwneud dim tasa
Jodie ni yma."

"A bai pwy ydi fod Jodie ni wedi gorfod aros adra
o'r ysgol heddiw, Rex? Pwy sy wedi cnoi treinyrs Jodie
ni'n ddarna mân?" holodd Jordan gan fwytho'r ci mawr
a orweddai'n dawel fel oen erbyn hyn. Yna, eglurodd sut
roedd ei chwaer wedi gadael ei hunig bâr o sgidiau allan
wrth y drws cefn y noson cynt, a'r ci wedi cael gafael
arnyn nhw. "Felly, fydd hi ddim yn gallu mynd yn ôl i'r
ysgol tan fydd Mam wedi cael pres ddiwedd yr wythnos i
brynu pâr newydd."

★

Ar ôl i Huw adrodd yr hanes wrth ei rieni am Jordan a
Jason Parry yn ei achub rhag cael cweir gan Liam a'i griw,
aeth Megan i sefyll wrth y ffenest a wynebai'r tŷ dros y
ffordd.

"Wel, mae'n amlwg nad ydi'r Parrys ddim mor ddrwg
â hynny. Dim ond am fod yna olwg ar y tŷ, mae pobl
mor barod i leisio barn," meddai gan ysgwyd ei phen. "Ac
mae arna i ofn 'mod i wedi gwrando ac ymddwyn yn rêl
snoban fy hun, hefyd. Deud ti wrth Jodie fod croeso iddi
yma unrhyw bryd."

"Diolch, Mam, ond dwi ddim yn meddwl bydd hi'n gallu dŵad tan ddiwedd yr wythnos gan fod y ci wedi cnoi ei hunig bâr o sgidiau."

"O'r beth fach, do'n i ddim wedi cysidro pa mor dlawd oedd y teulu. Mae gan Catrin bentyrrau o sgidia nad ydi hi byth yn eu gwisgo. Dwi'n siŵr y bysai rhai'n ffitio Jodie. Dos draw i gael gair hefo hi a'i mam i weld be fydd eu hymateb. Dwi ddim isio codi embaras arnyn nhw."

★

Ar ôl te'r noson honno aeth Huw i dŷ Jodie â phâr o dreinyrs Catrin mewn bag yn ei law. Ymlwybrodd heibio i hen ffrâm beic rhydlyd a chant a mil o bethau eraill a orlifai o'r ardd i'r llwybr a arweiniai at y drws ffrynt. Doedd o erioed wedi gweld y fath lanast.

Wrth gnocio ar y drws, clywai sŵn Rex yn cyfarth yn uchel a gobeithiai i'r nefoedd fod y ci wedi ei glymu'n ddiogel. Cnociodd eto a chlywodd lais Jodie'n gweiddi ar y ci i fod yn dawel, cyn iddi agor y drws.

"Haia!" meddai gan wenu'n groesawgar ar Huw. "Ty'd i mewn. Paid â chymryd sylw o Rex, neith o ddim byd i ti."

Camodd Huw'n ofalus heibio i'r ci ac i mewn i'r tŷ blêr. Roedd pob twll a chornel yn llawn pentyrrau o bapurau newydd a chylchgronau ac ynghanol yr holl annibendod, eisteddai mam Jodie ar soffa yn gwylio'r teledu. Roedd llond ei phen o gyrlyrs, a hongiai sigarét o gornel ei cheg.

"Mam, tro'r sŵn lawr, wir," meddai Jodie gan ymestyn am y teclyn newid sianeli. "Mae Huw dros ffordd wedi dŵad draw."

"Wel, paid â sefyll fel llo yn y drws 'na. Wna i ddim dy fyta di, 'sti," meddai'r fam gan wneud lle i Huw eistedd wrth ei hochr ar y soffa. "Ro'n i'n dallt dy fod ti 'di cael trwbl ar y ffordd adra o'r ysgol heddiw. Lwcus i ti fod yr hogia 'ma wedi dy weld di'n cael dy lusgo i gefn y ffatri 'na. Chei di ddim trafferth hefo'r Liam bach 'na eto, neith Jordan a Jason ni'n siŵr o hynny," meddai'r fam, gan roi winc ar Huw. "Does neb yn meiddio croesi teulu'r Parrys. Dos i nôl diod o Coke i'r hogyn, Jodie a ty'd â phanad i mi."

Erbyn i Jodie ddychwelyd gyda'r diodydd, roedd ei mam wedi cael cyfle i holi Huw yn dwll am bopeth ac roedd bellach yn barod i droi ei sylw yn ôl at y teledu. "Ewch allan i'r cefn rŵan i mi gael llonydd i wylio *Eastenders*," meddai gan droi'r sain i fyny ar gyfer tôn gyfarwydd yr opera sebon.

Yn yr ardd gefn, eisteddodd Huw ar hen fainc i yfed ei ddiod ac i edrych o'i gwmpas. Er bod llawer o lanast ym mhob twll a chornel, sylwodd fod lle clir ym mhen draw'r ardd, lle safai hen ffrâm gôl. "Fan hyn fyddi di'n ymarfer?" holodd gan bwyntio at y gôl.

"Ia, mi fasan ni'n gallu cael gêm rŵan ond does gen i'm byd am fy nhraed, diolch i Rex," atebodd Jodie gan fwytho'r ci a orweddai'n llonydd a diniwed wrth ei hymyl.

"Wel, dyna un rheswm pam ddois i draw," meddai Huw gan dynnu'r treinyrs o'r bag. "Mae'r rhain wedi mynd yn rhy fach i Catrin ac mae croeso i ti eu cael nhw, os lici di."

"Ond…"

"A dweud y gwir, mi fasat ti'n gwneud ffafr â fi tasat ti'n eu derbyn nhw achos dwi ddim isio cerddad i'r ysgol ar ben fy hun eto!"

"O, wel, os wyt ti'n ei roi o fel'na… Ond dwi ddim isio i ti feddwl 'mod i'n derbyn cardod," meddai gan lithro ei thraed i mewn i bâr o dreinyrs oedd yn ei ffitio i'r dim. "Be oedd y rheswm arall i ti ddŵad draw?"

Syllodd Jodie a'i cheg yn agored pan ddisgrifiodd Huw sut roedd Mr Huws wedi canmol ei gwaith cartref o flaen y dosbarth i gyd y prynhawn hwnnw. Doedd hi erioed wedi cael canmoliaeth am ei gwaith ysgrifennu o'r blaen. Efallai fod Huw yn iawn ac nad oedd hi'n dwp wedi'r cwbl.

"Am ble 'nest ti sgwennu?" holodd, a phan atebodd Huw ei fod wedi ysgrifennu am ei hen gartref, dywedodd Jodie y byddai wrth ei bodd yn gweld y lle.

"Wyt ti o ddifri?" holodd Huw yn wên o glust i glust.

"Wel yndw siŵr, mae o'n swnio'n lle ffantastig."

"Mae hi'n wyliau hanner tymor wythnos nesa. Be am fynd yno un diwrnod? Mi gei di fenthyg beic Catrin a…"

"Iawn. Ond dos i'r gôl rŵan er mwyn i mi gael trio'r treinyrs 'ma."

5
REIDIO BEIC

"Wyt ti'n gallu reidio beic?" holodd Huw pan ddaeth Jodie draw ar fore cyntaf gwyliau'r hanner tymor.

"Yndw," atebodd hithau. "Be ti'n feddwl ydw i?"

"Sori, do'n i ddim yn siŵr."

"Ty'd â hwnna yma ac mi ddangosa i i ti," meddai Jodie, gan afael ym meic Catrin yr oedd Huw newydd ei dyrchu o'r sièd. Estynnodd Huw helmed ei chwaer iddi hefyd.

"Dwi ddim yn bwriadu cael damwain ond mae o'n reit cŵl. Felly mi wisga i o," meddai gan glymu strap yr helmed yn dynn dan ei gên.

Ar ôl powlio'r beic i'r lôn o flaen y tŷ, camodd dros y bar yn hyderus a chanu'r gloch yn uchel. Yna, gan afael yn dynn yn yr handlen, cododd un droed ar y pedal. Ond wrth iddi godi'r droed arall, dechreuodd y beic siglo a'r funud nesaf roedd Jodie druan yn gorwedd fel sach o datws ar y lôn, a'r beic ar ei phen.

"Ti'n iawn?" holodd Huw gan geisio cuddio'r wên a ledodd dros ei wyneb.

"Yndw! Gad lonydd i mi! Ddim wedi arfer hefo'r beic yma dwi. Mi fydda i'n gallu ei reidio'n iawn mewn dim," meddai Jodie yn benderfynol, gan godi ei hun oddi ar y llawr.

★

Oriau'n ddiweddarach, ac yn gleisiau drosti, roedd Jodie wedi meistroli'r beic a reidiodd yn fuddugoliaethus i fyny ac i lawr y stryd.

"Pryd awn ni draw i weld dy hen dŷ di ar lan y môr?"

"Mae o tua deg milltir i ffwrdd, 'sti. Wyt ti'n meddwl y medri di reidio cyn belled?"

"Gallaf, siŵr. Pryd gawn ni gychwyn?"

"Wel, mae hi'n rhy hwyr heddiw ac mae hi'n benwythnos gŵyl y banc beth bynnag. Bydd gormod o draffig ar y ffordd yn ystod y dyddiau nesa. Be am ddydd Mawrth? Mi fyddi di 'di cael amser i ymarfer yn iawn ar y beic cyn hynny, a dysgu rheolau'r ffordd fawr a ballu."

"Be am Catrin? Fydd hi isio'r beic?"

"Na, mae hi 'di tyfu allan o bethau fel beics, medda hi. Mae'n well ganddi hi fwydro'i phen hefo ffasiwn a mêc yp a ballu."

★

Yn ystod y dyddiau canlynol, treuliodd Huw a Jodie bob munud sbâr yn reidio eu beiciau i bob twll a chornel o'r dre. Gan fod y lonydd yn sobr o brysur, ceisiodd y ddau osgoi'r priffyrdd a chadw at y llwybrau beicio bob tro roedd hynny'n bosib. Roedd y tywydd yn braf ac roedd Huw, am y tro cyntaf ers iddo adael Craig yr Wylan, yn berffaith hapus ei fyd. Doedd Jodie ddim yn cofio cael cymaint o hwyl erioed o'r blaen chwaith. Cyn i Huw ddod i fyw dros y ffordd, doedd ganddi ddim ffrind go iawn.

Erbyn y nos Lun roedd Huw'n fodlon fod Jodie'n gallu

reidio'n ddigon da i fentro'r daith. Estynnodd fap a arferai gael ei gadw yn y car, cyn i hwnnw gael ei werthu, a'i agor allan ar y bwrdd picnic roedd ei dad wedi ei osod yn yr ardd gefn. Pwyntiodd at leoliad y stad yn y dre ac yna gyda'i fys, dilynodd y ffordd o'r dref at Graig yr Wylan.

"Yli, mae 'na lwybr beicio yn mynd y rhan fwyaf o'r ffordd. Mi allwn ni stopio i gael brechdan neu rwbath yn y lle picnic ryw ddwy filltir o'r pentre. Mi fyddwn ni'n falch o gael gorffwys erbyn hynny."

"Huw! Jodie! Brysiwch!" torrodd Megan ar draws eu sgwrs gan weiddi ar y ddau i ddod i'r tŷ ar unwaith i weld plant hen ysgol Huw yn perfformio eu cân actol ar lwyfan Eisteddfod yr Urdd.

Wrth eistedd yn gwylio wynebau cyfarwydd Meurig ac Osian a gweddill ei hen ffrindiau ar sgrin y teledu, llenwodd llygaid Huw a daeth yr hiraeth yn ôl unwaith eto. Dylai o fod yng Nghaerdydd yn rhannu'r profiad gyda nhw.

"Mae rhai o blant ysgol ni wedi mynd i'r Steddfod hefyd. Ond dydw i ddim yn aelod o'r Urdd achos does gan Mam ddim digon o bres i mi ymaelodi," meddai Jodie ar ddiwedd y perfformiad. "Fedra i ddim canu beth bynnag."

"Na fi chwaith," meddai Huw. "Dyna pam mai coeden o'n i!"

"Coeden?" holodd Jodie. "Mae hynna'n waeth na bod yn ddafad fel ro'n i yn sioe Dolig!" Dechreuodd y ddau chwerthin yn braf gan chwalu'r hiraeth a wasgodd ar Huw. Roedd o a Jodie am fynd ar daith i'w hen gartref drannoeth ac roedd angen cynllunio popeth.

"Yn y pentre yna mae dy hen ysgol di?" holodd Jodie wrth i'r ddau blygu dros y map unwaith eto. "Ella cawn ni amser i fynd heibio dy ffrindia di hefyd."

"Fyddan nhw yng Nghaerdydd heno ar ôl perfformio yn y Steddfod," atebodd Huw gan ddiolch yn ddistaw bach, oherwydd ni wyddai beth fyddai ymateb yr hogiau petaen nhw'n ei weld yng nghwmni merch, hyd yn oed tomboi fel Jodie.

Ar ôl gwneud rhestr o bopeth roedd ei angen – brechdanau, dŵr, ffôn symudol, map, offer trwsio beic, dillad nofio, llieiniau sychu, eli haul a chant a mil o bethau eraill – aeth Jodie adref gyda'r bwriad o fynd i'w gwely'n gynnar y noson honno, gan fod ganddi ddiwrnod mawr o'i blaen drannoeth.

"Be oeddat ti a Jodie yn ei gynllwynio mor ofalus heno 'ma?" holodd Elfyn amser swper. "Roeddach chi wedi ymgolli yn y map. Dach chi'n bwriadu mynd am reid go hir? Byddwch yn ofalus, mae'n brysur iawn a llawer o ymwelwyr diarth sy ddim yn gyfarwydd â'r lonydd ffordd hyn yn gyrru fel pethau gwirion."

"Iawn, Dad. Paid â phoeni, mae Jodie a fi 'di penderfynu mynd i lan y môr. Dim ond un waith mae hi wedi bod i'r traeth, flynyddoedd yn ôl, pan oedd ei thad hi'n dal i fyw hefo nhw."

Teimlai Huw'n euog nad oedd yn gwbl onest gyda'i dad. Ond roedd beth a ddywedodd yn rhannol wir – roedden nhw *yn* bwriadu mynd i lan y môr. Ond, am ryw reswm, doedd o ddim am iddo wybod mai traeth Craig yr Wylan oedd ganddo mewn golwg.

"Mae 'nghalon i'n gwaedu dros yr hogan bach 'na,"

meddai Megan. "Meddylia nad ydi hi erioed wedi cael ymaelodi â'r Urdd, nac ymweld â lan y môr hyd yn oed. Mi wna i baratoi bocs bwyd iawn i chi. Ond gwranda ar dy dad, Huw, a pheidiwch â mynd yn agos i'r ffordd fawr."

"Diolch, Mam. Peidiwch â phoeni, 'dan ni 'di dewis taith sy ond yn defnyddio'r llwybrau beicio. Fyddan ni ddim yn mynd ar y priffyrdd o gwbl."

★

"Wel, mae pethau'n mynd yn *really serious* rhyngot ti a Jodie. Dêt ar lan y môr a bob dim!" tynnodd Catrin ei goes y noson honno wrth i'r ddau orwedd yn eu gwelyau'r naill ochr i'r llenni.

"Cau hi, Catrin!" gwaeddodd Huw yn ôl. "Ffrind ydi Jodie, dim byd mwy!"

"Www! Sori. Ond dach chi'n agos iawn, dydach? Ac mae Jodie'n hen hogan iawn, chwarae teg. Deud wrthi fod croeso iddi gadw'r beic. Fydda i ddim o'i angen o eto gan fod pob man mor hwylus yn Dre 'ma. Roedd hi'n wahanol yng Nghraig yr Wylan – roedd fan'no filltiroedd o bob man."

"Ti'n siŵr? Ti ddim am ei werthu ar eBay?"

"Wel, dwi ddim yn meddwl y cawn ni lawer amdano fo. Mae o'n dolcia i gyd ar ôl i Jodie fod yn dysgu ei reidio fo!"

"Sori, ond mi ddwedodd hi ei bod hi'n gallu reidio beic yn iawn. Faswn i ddim wedi ei gynnig o iddi petawn i'n gwybod pa mor anobeithiol oedd hi."

"Paid â phoeni. Mae'n werth o, i dy weld di'n hapus unwaith eto – ro'n i wedi cael llond bol ar y wyneb dydd Sul 'na oedd gen ti ers i ni symud yma."

Wrth orwedd ar ei wely'r noson honno, meddyliodd Huw pa mor lwcus oedd o. Roedd ei fam a'i dad mor garedig ac roedd hyd yn oed Catrin yn dangos ei bod hithau'n gallu bod yn glên hefyd pan oedd hi eisiau bod.

6

DYCHWELYD I'R TRAETH

Cododd Huw yn gynnar drannoeth ac ar ôl ymolchi a gwisgo, aeth i lawr y grisiau'n ddistaw bach gan fwriadu paratoi brecwast iddo'i hun heb ddeffro pawb arall yn y tŷ. Ond erbyn iddo gyrraedd y gegin, gwelodd fod ei fam yno o'i flaen. Roedd hi newydd gyrraedd adref ar ôl cwblhau ei shifft nos yn yr ysbyty.

Wrth ei gweld yn pwyso'n flinedig ar fwrdd y gegin, sylweddolodd Huw am y tro cyntaf gymaint roedd hi'n ei wneud i gadw'r blaidd o'r drws ers i'w dad golli ei waith. Roedd hi'n gweithio oriau hir drwy'r nos ac yn dod yn ôl bob bore i baratoi brecwast iddo fo a Catrin cyn iddyn nhw fynd i'r ysgol.

"Mae 'na olwg wedi blino'n lân arnat ti, Mam," meddai gan afael am ei hysgwyddau.

"Roedd hi'n brysur iawn yn yr ysbyty neithiwr ond mi fydda i'n rêl boi ar ôl cael paned o goffi cry, 'sti."

"Mi wna i baned i ti rŵan."

Ar ôl paratoi coffi a thost i'w fam, eisteddodd Huw wrth ei hymyl i fwyta powlaid o greision ŷd.

"Rwyt ti 'di codi'n fuan iawn, a hithau'n wyliau ysgol," meddai Megan wrth fwytho'r mygiad o goffi poeth rhwng ei dwylo. Atgoffodd Huw hi ei fod wedi gwneud cynlluniau gyda Jodie i fynd i lan y môr a bod angen iddo wneud yn siŵr fod y beiciau'n ddiogel cyn cychwyn ar eu taith.

"Yna mi fydda i angen picio i'r siop i brynu bwyd a diod i'w fwyta yn ystod y dydd. Mae gen i brcs, dwi 'di bod yn cynilo."

"Does dim angen i ti wneud hynny achos 'nes i baratoi bocs bwyd i chi neithiwr cyn mynd i'r gwaith. Fydd dim raid i ti wario dy bres poced, siŵr."

"O Mam, ti werth y byd!"

"Wel, fe ddylai pethau fod yn haws o wythnos nesa ymlaen. Do'n i ddim wedi bwriadu deud wrthat ti a Catrin tan fod y peth yn bendant − ond ella bydd eich tad yn dechrau gweithio yn yr archfarchnad newydd dydd Llun nesa."

Lledaenodd gwên dros wyneb Huw. Os oedd ei dad am gael gwaith unwaith eto, efallai na fyddai raid i'w fam weithio mor galed. Byddai mwy o arian yn dod i'r tŷ ac ni fyddai'n gymaint o straen ar bawb.

"Cofia, fydd o ddim yn rheolwr yn y siop newydd, felly fydd ei gyflog o'n llai nag o'r blaen. Ond mae'n ddechrau, ac efallai na fydd raid i ni aros ar y stad 'ma am lawer hirach. Fedrwn ni byth fforddio Craig yr Wylan arall − ond dwi'n siŵr y gallwn ni rentu tŷ gyda thair stafell wely mewn rhan arall o'r dre."

O glywed hyn, synnodd Huw wrth sylweddoli nad oedd o eisiau gadael y stad. Roedd o wedi ymgartrefu'n dda yn y tŷ bychan erbyn hyn, er ei fod yn gorfod rhannu llofft â'i chwaer. "Oes 'na dai mwy ar y stad 'ma?"

"Wel, oes am wn i. Ond ro'n i'n meddwl y bysa hi'n brafiach cael symud."

"Ond mae'r stad 'ma'n iawn."

"Wel, rwyt ti wedi newid dy gân," meddai ei fam gan

chwerthin. "Tybed oes gan hynny rywbeth i'w wneud â rhyw hogan fach sy'n byw dros y ffordd?"

"O, paid ti â fy herian i hefyd. Ffrind da ydi Jodie, dim mwy!" meddai Huw gan godi o'r bwrdd a chychwyn allan.

"Mae hi'n addo diwrnod poeth heddiw, felly cofia roi digon o eli haul cyn mynd allan!" gwaeddodd Megan ar ei ôl.

"Iawn, Mam."

Hanner awr yn ddiweddarach roedd Huw'n fodlon fod digon o wynt yn nheiars y beiciau, y breciau'n gweithio'n berffaith a digon o olew ar y cadwynau. Roedd hefyd wedi rhwbio digon o eli haul arno'i hun cyn rhoi'r bocs bwyd, y dillad nofio a'r holl bethau eraill roedd o'u hangen yn ei fag. Yna, wrth iddo edrych ar yr amser ar sgrin ei ffôn a gweld ei bod yn agosáu at chwarter i naw, daeth Jodie allan o'i thŷ a chroesi'r ffordd tuag ato.

"Reit, mae'n well i ni gychwyn," meddai Huw.

"Rhaid i mi bicio i'r siop cyn cychwyn," meddai Jodie. "Mae Mam wedi rhoi pres i mi brynu Coke a crisps."

★

Erbyn hanner awr wedi naw o'r gloch roedd y ddau wedi gadael prysurdeb y dref y tu ôl iddynt ac yn reidio'n hamddenol ar hyd y llwybr beicio a redai'n gyfochrog â'r briffordd. Gwenai'r haul yn yr awyr las ddigwmwl. Roedd hi'n mynd i fod yn ddiwrnod poeth a diolchai Huw ei fod wedi gwrando ar ei fam ac wedi rhoi digon o eli haul ar ei groen golau.

Ar ôl reidio i fyny allt hir a serth, dringodd y ddau oddi ar eu beiciau i gael eu gwynt atynt ac i gymryd llymaid o'r pop roedd Jodie wedi ei brynu.

"Tydi hi'n braf allan yn y wlad fel hyn?" meddai gan edrych ar y blodau gwylltion a dyfai wrth ymyl y llwybr.

"Aros di tan y byddwn ni'n troi oddi ar y lôn brysur – wedyn gei di weld cefn gwlad go iawn."

Ailgychwynnodd y ddau ar eu taith a chyn hir roedden nhw wedi gadael y briffordd gan ddilyn y llwybr beicio i ganol y wlad. Doedd Jodie erioed wedi bod yng nghanol y fath ddistawrwydd o'r blaen, lle nad oedd dim ond cân yr adar neu ambell fref dafad i'w clywed. Roedd yr holl lonyddwch yn gwneud iddi deimlo braidd yn anghysurus, felly dechreuodd ganu dan ei gwynt i dorri ar y distawrwydd a chyn hir ymunodd Huw â'i lais aflafar.

"Dwi'n dallt rŵan pam gest ti dy ddewis i fod yn goeden!" chwarddodd Jodie.

"A dwi'n dallt pam mai dafad oeddet ti hefyd," atebodd Huw cyn ailddechrau bloeddio canu allan o diwn.

*

Pan oedd Jodie'n teimlo na allai wthio'r pedalau fymryn ymhellach, pwyntiodd Huw at lecyn wrth ochr y llwybr gyda byrddau picnic pren o dan gysgod coed deiliog. Dringodd oddi ar ei beic yn ddiolchgar ac aeth i eistedd wrth un o'r byrddau.

"Dwi bron â llwgu. Faswn i'n gallu bwyta eliffant! Ond dim ond hyn sy gen i," meddai gan dynnu'r botel bop hanner gwag a phecyn o greision o'i bag.

"Paid â phoeni, mae Mam wedi paratoi digon o fwyd i ni," meddai Huw gan osod y picnic ar y bwrdd. "Er, does dim brechdanau eliffant, chwaith!"

Ar ôl bwyta llond eu boliau o frechdanau ham a chaws, afalau a iogwrt, paciodd Huw weddill y bwyd a'i roi yn ôl yn ei fag fel y byddai ganddynt ddigon i'w cynnal drwy'r dydd.

"Dim ond rhyw ddwy filltir eto," meddai gan ddringo yn ôl ar ei feic. "Mi fedra i arogli heli'r môr yn yr aer."

Reidiodd y ddau yn eu blaenau i lawr rhiw serth ac yna, ar ôl troi cornel siarp ar waelod y rhiw, cawsant gip o'r môr yn y pellter. Dechreuodd Huw bedlo'n gyflymach. Roedd o wedi aros yn hir am hyn ac ni allai ddisgwyl i gyrraedd traeth Craig yr Wylan unwaith eto.

Gadawodd y ddau eu beiciau wrth hen sgubor wag heb fod ymhell o'r tŷ. Yna, dyma nhw'n dechrau cerdded ar hyd y llwybr a arweiniai heibio i ardd Craig yr Wylan ac i lawr at y traeth.

"Waw! Fan hyn oeddet ti'n arfer byw?" holodd Jodie a'i cheg yn agored. "Mae o fel palas!"

"Ty'd!" gwaeddodd Huw gan redeg o'i blaen i lawr y llwybr serth. Doedd o ddim am iddi weld y dagrau a oedd yn bygwth llifo wrth iddo weld ei hen gartref unwaith eto.

Ar ôl cyrraedd y traeth, aeth Jodie tu ôl i'r garreg fawr lle'r arferai Huw chwarae, i newid i'w dillad nofio. Yna, yn ofalus, fel petai'n cerdded ar ddarnau o wydr, camodd yn araf i gyfeiriad y dŵr lle'r oedd Huw eisoes yn nofio'n hapus ymysg y tonnau.

"Brysia, Jodie!" gwaeddodd. "Mae'r môr yn grêt!"

Ond sefyll ar y lan wnaeth Jodie, gan fentro dim mwy nag un bawd troed yn y dŵr.

"Tydi o ddim yn oer unwaith y byddi wedi trochi dy hun yn iawn!"

"Mae'n well gen i aros ar y lan!"

"Ond ti'n gallu nofio'n iawn ym mhwll nofio'r ysgol."

"Tydi nofio mewn pwll ddim yr un fath!" atebodd Jodie cyn rhoi sgrech uchel pan ddringodd cranc bychan dros fodiau ei thraed. "Does 'na ddim angenfilod fan'no!"

"Be am Liam Jones? Mae hwnnw'n llawer gwaeth na'r cranc!"

Ond doedd dim yn tycio. Trodd Jodie ei chefn ar Huw a'r môr ac ymlwybrodd dros y tywod gwlyb yn ôl at y garreg fawr, lle'r eisteddodd yn ddigon hapus yn gwylio Huw'n neidio i fyny ac i lawr rhwng y tonnau. Yna, edrychodd i fyny i ben y creigiau uchel, lle gallai weld Craig yr Wylan yn sefyll yn gadarn. Ceisiodd Jodie ddychmygu byw yn y fath le. Doedd dim rhyfedd fod gan Huw gymaint o feddwl o'i hen gartref. Torri ei chalon fyddai hithau hefyd petai'n gorfod gadael lle mor hyfryd a mynd i fyw ar stad.

*

Rhyw hanner awr yn ddiweddarach, rhedodd Huw i fyny'r traeth tuag ati gan dasgu dŵr i bob cyfeiriad.

"Roedd hynna'n grêt," meddai gan ddringo i ben y garreg at Jodie. "Do'n i ddim wedi sylwi faint ro'n i'n colli nofio yn y môr. Mae o'n fil gwaith gwell nag unrhyw bwll nofio…"

"Dwi 'di bod yn meddwl am y smyglwyr," torrodd Jodie ar ei draws. "Wyt ti'n meddwl fod yr hen bysgotwr yn deud y gwir pan ddudodd o fod twnnel yn arwain o'r tŷ i'r traeth? Meddylia grêt fysa dŵad o hyd iddo fo."

"Dwi'n sicr fod Wil Thomas yn deud y gwir achos roedd ei hen, hen daid o'n un o'r smyglwyr ac mae'r hanes wedi ei basio i lawr drwy'r teulu. Drycha," meddai gan bwyntio i ben pella'r traeth. "Dyna gwt pysgota Wil Thomas. Dwi 'di treulio oriau yn fan'na yn gwrando arno fo'n adrodd ei storïau."

"Gad i ni fynd at y cwt. Ydi'r cwch yn dal yna?"

"Ydi, dwi'n meddwl," atebodd Huw gan ddringo i lawr o ben y garreg.

Ar ôl cyrraedd y cwt, ceisiodd Jodie edrych drwy'r ffenest. Ond gan fod haen drwchus o heli môr dros y gwydr, roedd hi'n amhosib gweld i mewn. Cerddodd at y drws a gwasgodd y glicied.

"Waeth i ti heb, mi fydd o ar glo!" galwodd Huw arni.

Ond er mawr syndod i Huw, agorodd y drws yn rhwydd wedi i Jodie wthio'r bolltau. Edrychodd y ddau ar ei gilydd cyn camu i mewn i'r cwt bach tywyll.

"Rhyfedd! Mi fyddai Wil Thomas yn gwneud yn siŵr ei fod yn ei gloi'n ofalus gyda chlo clap bob nos rhag ofn i rywun wneud rhywbeth i *Leusa Lân*."

"Leusa Lân? Pwy ydi honno?"

"Y cwch. Yli, dyma hi o dan y tarpolin," meddai gan godi cornel y gorchudd i ddangos ochr y cwch bach pren i Jodie. "Roedd ganddo feddwl y byd o'r hen *Leusa* ac mi fyddwn i'n cael mynd allan i ddal mecryll hefo fo ambell wa—"

"Be sy?" holodd Jodie wrth weld yr olwg ddryslyd a ddaeth dros wyneb Huw.

"Mae rhywun wedi bod yn ymyrryd â'r cwch. Mae o'n wynebu'r ffordd groes. Mi fydda Wil bob amser yn ei gadw â'r pen blaen at ddrws y cwt fel ei fod yn barod i'w wthio i'r dŵr. Ond starn y cwch sy at y drws rŵan."

"Ella ei fod o wedi bod yn ôl ac wedi cadw'r cwch y ffordd yna."

"Na, fasa fo byth. Mae rhywun arall wedi bod yma ac wedi gadael drws y cwt heb ei gloi."

"Ella fod ei deulu 'di bod yn defnyddio'r cwch," meddai Jodie yn ddifater gan gamu allan o'r cwt tywyll.

Arhosodd Huw ar ôl am funud neu ddau ac edrych o'i amgylch yn ofalus. Roedd popeth ar wahân i'r cwch yn ymddangos yn union fel y gadawsai Wil Thomas nhw – y rhwydi a'r rhaffau a'r cewyll yn un pentwr yng nghornel bella'r cwt. Ond gallai Huw deimlo ym mêr ei esgyrn fod rhywbeth o'i le.

"Ty'd i ni gael chwilio am dwnnel y smyglwyr," galwodd Jodie o'r drws. "Mae'n rhaid ei fod o ynghanol y creigiau 'ma'n rhywle."

Camodd Huw allan o'r cwt gan gau'r drws yn ofalus ar ei ôl cyn ymuno â Jodie a oedd wedi dechrau archwilio'r creigiau. Gan ei fod o'n adnabod y traeth fel cefn ei law, roedd yn siŵr nad oedd gobaith dod o hyd i geg y twnnel – ond doedd o ddim am ddifetha'r hwyl i Jodie.

7
TŶ GWAG

Ar ôl treulio bron i awr yn archwilio'r traeth heb weld dim golwg o dwnnel, dychwelodd y ddau at y garreg fawr i fwyta mwy o'u brechdanau.

"Mae 'na ddau ben i bob twnnel fel arfer," meddai Jodie gan syllu i fyny at Graig yr Wylan. "Mae'n rhaid bod y pen arall yn y tŷ yn rhywle. Biti na allwn ni fynd i mewn i chwilio."

"Fedrwn ni ddim. Mae 'na bobl newydd wedi prynu'r tŷ," atebodd Huw yn ddigalon.

"Wel does 'na neb yno heddiw, mae'r lle i'w weld yn hollol wag. Wyt ti'n siŵr nad oes 'na ryw ffordd gallwn ni ddringo drwy ffenest i gael golwg iawn ar y lle?"

"Fedran ni ddim gwneud hynny, siŵr. Mi allai pobl feddwl ein bod ni'n lladron!"

"Ond mi fedrat ti ddeud dy fod wedi dod yn ôl i chwilio am dy hoff dedi neu rwbath."

"Paid â siarad yn wirion!"

"Wel, ty'd i sbecian trwy'r ffenestri 'ta," meddai Jodie gan gychwyn am y tŷ a'i bag ar ei chefn.

Roedd teimladau cymysg gan Huw wrth ei dilyn i fyny'r llwybr. Ar un llaw, fe fyddai wrth ei fodd yn gweld y tu mewn i'w hen gartref unwaith eto – ond ar y llaw arall, doedd o ddim yn siŵr sut y teimlai petai'n gweld dodrefn a chelfi dieithr yn y stafelloedd cyfarwydd.

"O'r hyn fedra i weld, mae stafelloedd lawr grisiau i

gyd yn wag!" galwodd Jodie ar ôl bod o amgylch y tŷ yn sbecian drwy'r ffenestri. "Mae'n rhaid nad ydi'r bobl newydd wedi symud i fewn eto. Biti na fysai'n bosib i ni fynd i mewn."

Dyna pryd y cofiodd Huw am oriad drws cefn sbâr a adawai ei rieni o dan garreg rydd yn wal yr ardd. Tybed oedd o'n dal yno? Aeth at y wal i chwilio am y garreg. Ar ôl dod o hyd iddi, tynnodd hi o'i lle'n ofalus gan ddatgelu'r goriad. Cerddodd at y drws cefn gan edrych i gyfeiriad y ffordd i wneud yn siŵr nad oedd neb yn agos, rhoi'r goriad yn nhwll y clo ac agor y drws yn ddidrafferth.

Safodd y ddau yn y gegin gan edrych o'u hamgylch. Roedd yr ystafell wag yn teimlo'n oer a digroeso heb y celfi a'r llestri lliwgar a'r bwrdd mawr a'r cadeiriau. Dyna ble arferai'r teulu eistedd i fwyta ac i drafod popeth – gwyliau, ysgol, gwaith. Dyna ble clywodd Huw eu bod yn gorfod gadael Craig yr Wylan am y tro cyntaf. Rhyfeddodd wrth sylweddoli mai dim ond rhyw ddau fis oedd ers y noson honno pan dorrodd ei fam y newyddion i Catrin ac yntau – teimlai fel oes yn ôl.

"Does 'na'm byd i weld yn fama beth bynnag," torrodd Jodie ar draws ei feddyliau wedi iddi agor pob cwpwrdd a drôr yn y gegin. "Ty'd, awn ni i weld gweddill y tŷ."

Aeth y ddau drwy ystafelloedd gwag y llawr isaf. Mynnodd Jodie godi'r carped a adawyd ar ôl yn yr ystafell fyw rhag ofn bod drws cudd yn y llawr. Yna, gwthiodd ei phen i fyny'r simdde fawr, gan dynnu tomen o huddygl i lawr drosti. Gwenodd Huw am y tro cyntaf ers iddo gamu i mewn i'r tŷ wrth weld y fath olwg oedd ar ei ffrind. Tynnodd hithau hances bapur o'i phoced a cheisio rhwbio'r huddygl oddi ar ei hwyneb gan achosi mwy o lanast arni ei hun.

"Ti'n ddigon i godi ofn ar rywun!" chwarddodd Huw gan ei harwain i fyny'r grisiau tuag at yr ystafell ymolchi. "Diolch byth nad ydi'r dŵr wedi cael ei droi i ffwrdd," meddai gan droi'r tap. "Defnyddia dy liain sychu i gael trefn arnat dy hun."

Ar ôl tynnu'r lliain o'i bag, gwlychodd Jodie un cornel ohono yn y dŵr oer a rhwbio'i hwyneb. Ond gan nad oedd ganddi sebon, ddaeth y marciau du ddim i ffwrdd i gyd.

"Wel, rwyt ti'n edrach ryw chydig yn well!" chwarddodd Huw gan edrych ar y stribedi llwyd ar ei bochau.

"Pa un oedd dy stafell di?" holodd hithau gan gamu ar draws y landin.

"Y drws pella acw. Ond dwi'm yn meddwl 'mod i isio mynd i…"

"Twt lol! Ma'n rhaid i mi gael gweld yr olygfa o'r môr rwyt ti 'di sôn gymaint amdani."

Yn bur anfoddog, agorodd Huw ddrws ei hen ystafell wely wag. Wrth weld ei hen bapur wal o fôr-ladron y Caribî ac ambell hen boster a adawodd ar ei ôl, dechreuodd deimlo hiraeth unwaith eto. Roedd yr ystafell mor gyfarwydd ac eto mor wahanol ar yr un pryd. Gwthiodd Jodie heibio iddo ac anelu at y ffenest. Roedd Huw wedi dweud y gwir – roedd hi'n olygfa anhygoel.

"Drycha," meddai cyn hir. "Mae llong wedi stopio allan ar y môr."

"Be wyt ti'n feddwl, stopio?" holodd Huw gan symud at y ffenest i weld llong fechan yn gollwng angor ryw chwarter milltir o'r lan. Pam roedd hi wedi angori yno? Doedd hi ddim fel petai'r tywydd yn stormus a doedd dim porthladd gerllaw. Rhyfedd iawn, meddyliodd.

Bum munud yn ddiweddarach, roedd Jodie wedi cael digon o syllu ar y llong yn dawnsio yn ei hunfan ar y tonnau. "Ty'd yn ôl lawr grisiau," meddai. "Fydd 'na ddim twnnel yn y llofftydd yma."

Ar ôl cyrraedd troed y grisiau, trawodd ei llygaid ar ddrws ar draws y cyntedd nad oedd wedi sylwi arno cyn hynny. "Be ydi'r drws acw?"

"Drws i'r seler."

"Seler? Pam na faset ti 'di deud yn gynt bod 'na seler 'ma? Yn fan'no fysa'r twnnel siŵr, y twpsyn!" meddai gan groesi'r cyntedd.

Ar ôl agor y drws, aeth y ddau i lawr rhes o risiau cerrig serth a arweiniai i lawr i'r seler dywyll.

"Mae switsh golau wrth droed y grisiau os dwi'n cofio'n iawn," meddai Huw gan deimlo'r wal yn y tywyllwch. "Dyma fo," meddai gan wasgu'r botwm.

Wrth i'r seler lenwi â golau llachar o'r bwlb trydan moel a grogai o'r to, gallai'r ddau weld fod y lle'n llawn o gratiau a bocsys o bob maint.

"Dy deulu di sy wedi gadael rhain ar ôl?" holodd Jodie.

Ond eglurodd Huw nad oedd o erioed wedi gweld y cratiau na'r bocsys o'r blaen. Mae'n rhaid bod y bobl newydd wedi eu cario i'r seler. Cerddodd y ddau'n ofalus o amgylch y cratiau gan sylwi ar ysgrifen ddieithr arnyn nhw mewn iaith nad oedd y plant yn ei deall. Pam fyddai'r bobl yn trafferthu llenwi'r seler cyn rhoi dim yn ystafelloedd eraill y tŷ? Beth oedd yn y cratiau? Roedd Jodie bron â thorri ei bol eisiau atebion ond darbwyllodd Huw hi i beidio â'u cyffwrdd. Wrth weld y cratiau sylweddolodd nad oedd ganddyn nhw hawl i fod yn y tŷ a'u bod yn tresbasu. Beth petai'r perchnogion newydd yn dychwelyd a'u dal nhw yno?

"Dwi'n meddwl dylen ni adael rŵan."

"Ond 'dan ni ddim 'di dechrau chwilio am y twnnel eto. Gad i ni gael un golwg iawn yn y seler cyn mynd."

"Iawn, dim ond am ddau funud 'ta – dim mwy!"

Tynnodd y ddau eu bagiau oddi ar eu cefnau a dechrau archwilio hynny o lawr y seler a oedd yn y golwg rhwng y cratiau. Ond roedd y llawr solet yn edrych fel rhan o'r graig gadarn y safai'r tŷ arni.

"Mae'n rhaid bod y drws o dan rai o'r cratiau," meddai Jodie. "Rho help i mi i drio gwthio rhai ohonyn nhw i'r ochr."

"Na! Mae'n rhaid i ni adael rhag ofn i…" Chafodd Huw ddim gorffen ei frawddeg cyn i lais cras weiddi o'r cyntedd uwch eu pennau.

"Mae 'na rywun yn y seler, Bòs!"

8

CAETH YN Y SELER

Cipiodd Huw a Jodie eu bagiau a chuddio y tu ôl i un o'r cratiau mawr. Sut oedden nhw'n mynd i ddod allan o hyn? Sut oedden nhw'n mynd i egluro pam eu bod yno? Ond cyn penderfynu ar ddim, daeth sŵn traed trwm ar risiau'r seler.

"Dwi'n gwybod fod 'na rywun yma. Dewch allan rŵan cyn i mi gael gafael ynoch chi!" torrodd llais annymunol dros y lle.

Daliodd y ddau eu hanadl. Beth oedden nhw am ei wneud? Ildio, neu aros y tu ôl i'r crât gan obeithio y byddai'r dyn â'r llais cras yn gadael?

"Mi gyfra i i dri, cyn dŵad i chwilio amdanach chi," galwodd y dyn eto. "A phan ga i afael ynoch chi, mi fala i chi!"

Ar ôl clywed hyn, doedd ganddyn nhw ddim dewis. Ond wrth iddyn nhw baratoi i godi ar eu traed, gwaeddodd dyn arall o ben y grisiau.

"Paid â mwydro Jake, does 'na neb yn y seler, siŵr! Ti'n meddwl 'mod i'n dwp? Dwi'n gwybod yn iawn mai ti anghofiodd droi'r golau i ffwrdd a chloi'r drws ar dy ôl neithiwr. Rŵan, ty'd i fyny'r munud 'ma i ni gael cysylltu hefo criw'r llong. Mae hi wedi angori yn barod."

"Ond, Bòs…"

"Brysia! Dwi ddim am ddeud eto!"

Trodd Jake yn anfoddog yn ôl i gyfeiriad y grisiau gan rwgnach wrtho'i hun ei fod wedi cael bai ar gam gan Bòs. Roedd o'n eithaf siŵr ei fod wedi diffodd y golau y noson cynt. Ond, ar ôl dweud hynny, doedd ganddo ddim cof o gloi drws y seler chwaith. Felly, gwell oedd iddo beidio â thaeru ymhellach a chodi gwrychyn ei feistr. Gwasgodd y switsh golau gan adael y seler mewn tywyllwch. Yna, dringodd i fyny'r grisiau a chloi'r drws gan adael y plant yn gaeth yn y seler dywyll.

"Ti'n iawn?" holodd Huw gan geisio teimlo braich Jodie yn y tywyllwch.

"Yndw, dwi'n ocê. Ond roedd honna'n agos!"

"Glywist ti un ohonyn nhw'n deud ei fod o am gysylltu â'r llong sy wedi angori allan yn y môr?"

"Do. Mae rhywbeth od yn mynd ymlaen."

Arhosodd y ddau yn eu cuddfan y tu ôl i'r cratiau am sbel er mwyn bod yn siŵr nad oedd Jake na Bòs am ddychwelyd i'r seler. Yna, ymlwybrodd Huw'n araf trwy'r tywyllwch i gyfeiriad y grisiau lle daeth o hyd i'r swits golau unwaith eto.

"Dyna welliant," meddai Jodie gan rwbio ei llygaid wrth i'r seler oleuo.

"Ond does 'na'm posib i ni fynd o 'ma achos mae Jake 'di'n cloi ni i mewn. Rhaid i ni ffonio am help," meddai Huw gan dynnu ei ffôn symudol allan o'i boced. "O na! Does dim signal! Be wnawn ni rŵan? Mi fydd y dynion yn siŵr o ddŵad yn ôl a'n dal ni!"

"Wel, does 'na'm pwynt poeni am hynny rŵan. Ty'd i weld be sy yn y bocsys a'r cratiau 'ma."

Tynnodd Huw ei gyllell boced allan o'i fag a dechrau

torri'r tâp trwchus oddi ar un o'r bocsys lleiaf. Ar ôl agor y bocs, gwelodd y plant ei fod yn llawn gwellt sych. Rhoddodd Jodie ei dwylo yn y bocs i deimlo am rywbeth yng nghanol y gwellt. Er syndod, daeth ei bysedd ar draws blwch bychan ac ar ôl tynnu'r blwch allan, agorodd y caead yn ofalus. Rhythodd y ddau yn gegagored wrth weld pentwr o ddiemwntau disglair yn gorwedd ar ddarn o felfed glas.

"Waw! Maen nhw siŵr o fod yn werth miloedd!" meddai Huw gan ddal un diemwnt perffaith i fyny yn erbyn y golau.

"Gad i ni drio agor un o'r cratiau mawr," meddai Jodie ar ôl cadw'r blwch yn ofalus yn ôl yn y bocs.

"Mae angen lifer i dynnu caead y crât," meddai Huw gan chwilio am rywbeth fyddai'n gwneud y dasg yn haws.

"Wneith hwn y tro?" meddai Jodie gan ddal trosol yn ei llaw. "Roedd o ar lawr wrth ymyl rhai o'r cratiau acw."

"I'r dim," atebodd Huw cyn defnyddio pen main y teclyn metel i godi caead y crât a oedd yn llawn o boteli brandi.

Cyn pen dim roedd y ddau wedi agor hanner dwsin o gratiau eraill a oedd yn llawn o sigarennau, gwin a gwirodydd o bob math.

"Wyt ti'n meddwl yr un peth â fi?" holodd Jodie. "Ydan ni wedi dod ar draws smyglwyr modern wrth chwilio am dwnnel smyglwyr yr hen amser?"

"Ti'n iawn. Mae Craig yr Wylan yn cael ei ddefnyddio gan smyglwyr unwaith eto," meddai Huw gan edrych ar y cratiau. Ond doedd dim rhamant i'r smyglwyr modern hyn ac fe wyddai y byddai'n ddrwg iawn arnyn nhw pan fyddai Jake a Bòs yn dychwelyd.

"Rhaid i ni ddod o hyd i'r twnnel," meddai Jodie. "Dyna'r unig ffordd i ddianc. Mae'n siŵr ei fod o yma yn rhywle."

Gwthiodd y ddau'r cratiau i'r ochr yn ofalus i weld a oedd drws cudd oddi tanyn nhw – ond heb lwc.

"Dim ond y crât mwya sy ar ôl rŵan," meddai Jodie. "Ti'n meddwl y gallwn ni ei symud o?"

Dechreuodd y ddau wthio â'u holl nerth ond roedd y crât, er ei faint, yn ysgafnach o lawer na'r cratiau llai, a llithrodd yn rhwydd ar draws llawr y seler.

"Dwi'n meddwl fod hwn yn wag," meddai Huw gan ddefnyddio'r trosol i agor ei gaead. "Ella mai…"

"Taw, gwranda!" sibrydodd Jodie. "Mae 'na rywun yn trio datgloi drws y seler! Does dim amser i ddiffodd y golau! Ty'd!"

Edrychodd y ddau ar ei gilydd, cyn dringo i mewn i'r crât gwag a thynnu'r caead yn ôl cyn i ddrws y seler agor.

"Ti wedi gadael gola'r seler 'mlaen eto'r ffŵl i ti!" clywsant lais cas Bòs yn cyhuddo Jake. "Dwn i ddim pam 'nes i roi job i ti yn y lle cynta. Ti'n anobeithiol! Heblaw dy fod ti mor gry ac yn gallu symud y cratiau mawr 'ma o'r traeth, mi faswn i 'di rhoi'r sac i ti ers talwm!"

"Ond Bòs…"

"Cau dy geg a dos i nôl y bocs *diamonds* i mi. Dwi isio nhw i neud y *deal* hefo criw'r llong."

Daliai Huw a Jodie eu gwynt wrth glywed Jake yn

ymlwybro'n nes. Roedd o'n siŵr o sylwi bod y cratiau wedi symud a dim ond mater o amser oedd hi cyn iddyn nhw gael eu dal.

"Mae'r cratia wedi symud, Bòs. Mae 'na rywun wedi bod yma!"

"Paid â malu! Ty'd â'r bocs *diamonds* i mi. Brysia!"

Gydag ochenaid, gafaelodd Jake yn y bocs bychan ac wrth ei gario i fyny grisiau'r seler, sylwodd fod y tâp a lynai'r clawr wedi ei dorri. Roedd o'n bendant fod rhywun yn y seler ond docdd o ddim am godi gwrychyn ei feistr wrth sôn am hynny unwaith eto. Dim ond gobeithio bod y diemwntau'n ddiogel – neu fo fyddai'n cael y bai.

"Ty'd â nhw i mi," meddai Bòs gan gipio'r bocs o ddwylo Jake a thynnu'r blwch bychan o ganol y gwellt sych. "Mi ga i dipyn go lew o stwff yn lle rhein!" meddai gan ddal y diemwntau ar gledr ei law.

Ni ddywedodd Jake yr un gair, dim ond troi yn ôl i lawr y grisiau a ddiffodd y golau rhag iddo gael bai ar gam am beidio gwneud hynny unwaith eto. Cyn gwasgu'r switsh, taflodd olwg sydyn o gwmpas y seler. Roedd o'n sicr bod rhywun wedi bod yno'n ymyrryd â'r cratiau. Felly, fe wnaeth yn hollol siŵr ei fod yn cloi'r drws a'i folltio'n dynn, fel nad oedd dim modd i unrhyw un a oedd yn y seler ddianc. Ar ôl gorffen y busnes ar y llong, gallai ddod yn ôl i archwilio'r lle'n iawn. Yna, mi fyddai'n rhaid i'w feistr ystyfnig ymddiheuro iddo pan ddeuai o hyd i bwy bynnag oedd yno.

Ar ôl i Jake a Bòs fynd, a'u gadael mewn tywyllwch unwaith eto, dringodd Huw a Jodie allan o'r crât gwag ac ar ôl troi'r golau ymlaen, aethon nhw ar eu hunion i chwilio am y twnnel. Roedd yn rhaid dod o hyd iddo cyn i'r ddau ddihiryn ddychwelyd a'u dal.

9
Y TWNNEL

Bu'r plant ar eu gliniau yn chwilio pob modfedd o lawr y seler am unrhyw fwlch neu hollt a allai awgrymu drws cudd – ond i ddim pwrpas oherwydd roedd y llawr yn gwbl solet.

"Mae'n rhaid bod ceg y twnnel yma'n rhywle," meddai Jodie gan eistedd yn ôl ar ei sodlau i edrych o'i chwmpas. "Os nad ydi o yn y llawr, mae'n rhaid ei fod o yn y wal."

Dechreuodd y ddau archwilio'r hen furiau trwchus, ond roedd y waliau yr un mor gadarn â'r llawr. Ym mhen pella'r seler roedd silffoedd wedi eu gosod yn erbyn y mur.

"Mi fydda Dad yn arfer cadw poteli gwin yn fama," meddai Huw gan bwyso ei fraich ar un o'r silffoedd.

"Dy dad osododd y silffoedd?" holodd Jodie.

"Na, roedden nhw yma cyn hynny. Mi fyswn i'n dweud fod gwerth dau gan mlynedd o lwch a gwe pry cop yma. Mi fydda Mam yn swnian ar Dad i glirio'r lle – ond roedd o'n mynnu bod yr hen lwch a'r gwe yn siwtio'r poteli gwin."

"Allwn ni symud y silffoedd oddi ar y wal?"

"Mi dria i wthio'r trosol tu ôl iddyn nhw," meddai Huw gan chwilio am fwlch rhwng cefn y silffoedd a'r mur. "Dyma ni, mi ddechreua i fama i weld be ddigwyddith."

Yn sydyn, rhoddodd y silff wich uchel cyn agor fel drws ar ei golfachau cudd.

"Roedd yr hen Wil Thomas yn deud y gwir!" meddai Huw gan syllu i geg dywyll y twnnel.

"Ty'd, does dim amser i'w wastraffu," meddai Jodie gan gipio'i bag a gwthio ei ffordd i mewn i'r twnnel. "Mae hi'n dywyll fel bol buwch yma – lwcus 'mod i wedi dŵad â thortsh hefo fi. Dos di i ddiffodd golau'r seler."

Gafaelodd Huw yn ei fag cyn diffodd y golau a gan anelu at lewyrch tortsh Jodie, cerddodd yn ôl i gefn y seler, dringo i mewn i'r twnnel a thynnu cefn y silffoedd tuag ato. Gyda lwc, ni fyddai Jake na'i feistr yn dod o hyd i agoriad y twnnel.

"Reit, ffwrdd â ni," meddai Jodie gan ddal y dortsh o'i blaen.

Ar ôl ychydig gamau, dechreuodd llawr y twnnel oleddu'n serth ac roedd hi'n amlwg i'r ddau eu bod nhw'n is na'r tŷ. Yna, yn sydyn, arhosodd Jodie yn stond gan achosi i Huw gerdded i mewn iddi.

"Be sy'n bod? Pam wyt ti wedi stopio?" holodd.

"Mae 'na risiau serth yma," atebodd Jodie. "Lwcus bod gen i olau neu faswn i 'di disgyn."

"Gad i fi arwain," meddai Huw gan wthio heibio iddi. "Ty'd ti tu ôl i mi gan ddal y dortsh i fyny." Yn ofalus, dringodd y ddau i lawr y grisiau llithrig a dechreuodd Huw gyfri. "Un, dau, tri… cant ac wyth, cant a naw, cant a deg. Y gwaelod o'r diwedd! Mae'n rhaid ein bod ni'n agos i'r traeth bellach."

Roedd to'r twnnel yn isel iawn wrth droed y grisiau

a bu'n rhaid i'r ddau grafangu ymlaen, a'u cefnau wedi crymu rhag taro eu pennau.

"Gobeithio nad oes 'na lawer o ffordd eto – mae 'nghefn i'n fy lladd i," cwynodd Jodie.

"Paid â phoeni, dwi'n meddwl ein bod ni bron yn y pen draw."

Roedd Huw yn iawn ac ar ôl ymlwybro ychydig ymhellach drwy'r twnnel isel, daethant allan i ogof fawr gyda cholofnau hir o stalagmidau a stalactidau yn ymestyn o'r llawr a'r to. Yn uchel, uchel i fyny yn nho'r ogof roedd twll a adawai lewyrch main o olau dydd i mewn i'r ogof. Crogai cannoedd o ystlumod wyneb i waered oddi ar ddarn o'r graig a wthiai allan o ochr yr ogof.

"Ych, mae'n gas gen i ystlumod!" meddai Jodie gan geisio gorchuddio ei phen â'i braich. "Maen nhw'n gallu mynd yn sownd yng ngwalltiau pobl a sugno'u gwaed nhw!"

"Paid â bod yn wirion, 'nawn nhw ddim byd i ti. *Vampire bats* sy'n sugno gwaed a tydyn nhw ddim i'w cael yng Nghymru! Mi fyddwn i'n arfer gweld llawer o'r ystlumod bach 'ma'n hedfan o gwmpas Craig yr Wylan ar nosweithiau braf."

"Wel, dydw i ddim yn eu licio nhw! Ty'd i ni gael hyd i ffordd allan o'r ogof 'ma cyn iddyn nhw ddeffro," meddai Jodie gan godi cwfl ei hwdi dros ei phen.

Gan fod rhywfaint o olau dydd yn treiddio i'r ogof o'r twll yn y to, gallai Huw archwilio'r lle heb oleuni tortsh Jodie. Safodd am funud gan syllu i fyny at darddiad y golau. Doedd dim posib dringo i fyny at y twll, roedd o'n llawer rhy uchel. Mae'n rhaid bod yna agoriad arall i'r ogof yn rhywle, rhesymodd.

Wrth i Huw sefyll ar ganol llawr yr ogof, aeth Jodie i archwilio'r ochrau gan daflu golau ei thortsh i bob twll a chornel. Roedd hi wedi cerdded tua tri chwarter y ffordd o amgylch y muriau, pan ddaeth ar draws hen gist fetel yn llechu mewn cilfach dywyll. Syllodd ar y gist am funud – doedd bosib ei bod wedi dod o hyd i drysor yr hen smyglwyr?

"Huw! Ty'd yma! Brysia!" galwodd.

Pan welodd Huw beth oedd gan Jodie dan sylw, teimlodd ei galon yn cyflymu. Roedd yr hen Wil Thomas yn llygad ei le unwaith eto – roedd y smyglwyr wedi gadael trysor ar eu hôl. Â dwylo crynedig, gafaelodd yng nghaead y gist a'i hagor yn araf. Ebychodd y ddau wrth weld y miloedd o sofrenni aur gloyw a lenwai'r gist at ei hymylon. Dyma beth oedd trysor!

"Mae'n debyg fod y smyglwyr wedi meddwl dŵad yn ôl i symud y trysor pan oedd hi'n ddiogel. Ond chawson nhw ddim cyfle. Cawson nhw eu harestio a'u hanfon i Awstralia," eglurodd Huw wedi iddo ddod ato'i hun.

"Be 'dan ni am neud rŵan?" holodd Jodie. "Fedran ni ddim symud y gist, mae hi'n rhy drwm."

"Ti'n iawn. Mi fydd yn rhaid i ni ei gadael hi yma oherwydd y peth pwysica ar hyn o bryd ydi ein bod yn cael hyd i ffordd allan o'r ogof 'ma. Mae'n siŵr bod 'na ddrws cudd yma'n rhywle."

"Drycha, ma 'na rywbeth tebyg i ddrws yn fama," meddai Jodie gan daro golau'r dortsh ar y mur heb fod ymhell o'r gist. Ar ôl cau caead y gist, aeth y plant at y drws bychan solet a lechai mewn cilfach dywyll yn y graig. Ceisiodd Huw ei agor ond doedd dim symud arno i ddechrau, ond wrth i'r ddau wthio â'u holl nerth, agorodd fymryn bach o'r diwedd, gan adael digon o le iddynt wthio trwyddo.

"Diolch byth!" meddai Jodie gan bwyso ei chefn yn erbyn y drws. "Roedd arna i ofn i'r ystlumod 'na ddeffro a hedfan o gwmpas."

"Roeddan nhw *yn* hedfan o gwmpas y lle ond roeddat ti wedi ymgolli gymaint yn y trysor fel na 'nest ti ddim sylwi arnyn nhw. Ble ar y ddaear 'dan ni rŵan?" holodd Huw gan edrych o'i amgylch.

Daliodd Jodie'r dortsh i fyny gan ddangos ystafell bren a oedd yn llawn rhwydi ac offer pysgota. Ym mhen pella'r ystafell roedd grisiau pren yn arwain at ddrws bychan yn y to. Gwthiodd y ddau yn erbyn y drws ac ildiodd o dan eu pwysau. Cododd Huw ei ben i fyny drwy'r agoriad a rhyfeddu wrth iddo sylweddoli eu bod wedi cyrraedd lle cyfarwydd iawn.

10

SMYGLWYR MODERN

"Mae'n rhaid fod Wil Thomas yn gwybod am y drws cudd drwy'r adeg," meddai Huw gan edrych o amgylch yr hen gwt pysgota. "Felly, pam na wnaeth o'i hun chwilio am y twnnel a'r trysor? I feddwl 'mod i wedi eistedd am oriau mor agos i'r drws cudd heb sylwi arno o dan y pentwr rhaffau a'r cewyll…"

Safodd Huw ar ganol brawddeg yn gegagored cyn gweiddi, "Mae drws y cwt ar agor ac mae *Leusa Lân* wedi mynd!"

Lle safai'r cwch ychydig oriau ynghynt, doedd dim ond tarpolin wedi ei adael ar y llawr. Roedd rhywun wedi bod yn y cwt ac wedi cymryd y cwch! Rhedodd y ddau allan a gweld olion lle'r oedd y cwch wedi ei wthio dros y tywod i'r dŵr. Yna, wrth edrych draw, gwelsant ddau ddyn yn rhwyfo *Leusa Lân* tuag at y llong a oedd wedi ei hangori allan yn y môr.

"Dwi'n siŵr mai Jake a Bòs ydi'r rheina," meddai Jodie gan syllu i'r pellter.

"Dwi'n cytuno," meddai Huw gan fynd i chwilio am sbienddrych.

Ar ôl dod o hyd i sbienddrych Wil Thomas ar silff yn y cwt dringodd y plant i ben y garreg fawr ar y traeth i weld yr olygfa'n well. Erbyn hyn roedd y cwch wedi cyrraedd y llong a gallai Huw weld un dyn yn dringo i fyny ysgol raff a ollyngwyd dros ochr y llong. Ar ôl cyrraedd y dec gwelodd Huw'r dyn yn siarad â rhywun. Yna, cafodd nifer o sachau eu gollwng ar raff o'r llong i'r cwch lle'r oedd yr ail ddyn yn aros i'w derbyn. Ymhen ychydig funudau dringodd y dyn cyntaf i lawr yr ysgol raff i'r cwch.

"Be sy'n digwydd? Gad i mi weld," meddai Jodie gan gymryd y sbienddrych oddi ar Huw. "Maen nhw'n dechrau rhwyfo'n ôl at y lan. Be ti'n feddwl y dylen ni neud?"

"Ffonio'r heddlu? Mae 'na signal ffôn ar y traeth 'ma."

"Ond be os nad ydyn nhw wedi neud dim o'i le? Ella y dylen ni aros i weld be sy'n digwydd cyn ffonio'r cops."

"Ti'n iawn – mae'n rhaid i ni weld be sy yn y sachau gafodd eu gollwng o'r llong. Os arhoswn ni'r tu ôl i'r garreg 'ma, mi fyddan ni o'r golwg."

Chwarter awr yn ddiweddarach, cyrhaeddodd y cwch bach yn ôl i'r lan. Neidiodd un o'r dynion allan a dechrau tynnu'r cwch o'r dŵr.

"Dos â'r sachau'n ddigon pell o'r dŵr, wir! Dwi ddim isio i'r stwff fynd yn wlyb neu mi fydd o wedi difetha."

"Iawn, Bòs," meddai Jake gan gario'r sachau at y garreg fawr lle roedd Huw a Jodie yn cuddio. "Neith fama'r tro?"

"Iawn. Ty'd i dynnu'r cwch 'ma'n ôl i'r cwt."

Daliodd Huw a Jodie eu gwynt wrth i Jake agosáu at y garreg gyda'i bentwr o sachau. Yna, pan gerddodd yn ôl at y cwch, mentrodd y ddau gymryd cip arno. O'r cefn, edrychai fel cawr o ddyn cryf yn ei drowsus byr a chrys tyn a ddangosai ei gorff mawr, cyhyrog. Petai o'n cael gafael ynddyn nhw, fyddai o fawr o dro yn eu setlo â'i freichiau cryfion a'i ddwylo mawrion, meddyliodd Huw.

Ar hynny, stopiodd Jake a throi i syllu i gyfeiriad Craig yr Wylan. Dyna pryd y cawson nhw olwg iawn ar ei wyneb hyll. Edrychai'n union fel dihiryn o lyfr, â'i ben moel, ei drwyn cam a'i fochau creithiog.

"Ty'd, Jake! Sgen i ddim drwy'r dydd. Mae'r *dealers* yn dŵad i nôl y stwff heno ac mae angen paratoi."

"Iawn, Bòs. Dwi'n dŵad rŵan!"

Un gwahanol iawn yr olwg i Jake oedd ei feistr. Dyn bychan, main a chanddo wallt du, seimllyd a gwisgai siwt streipiog a oedd yn hollol anaddas i rwyfo cwch. Cymerodd Jodie olwg arno drwy'r sbienddrych a sylwodd ar ei ddau lygad cas a'r rhimyn o flewiach main dan ei drwyn hir. Petai Jodie'n gorfod dewis, gwell fyddai ganddi wynebu Jake na'r dyn bach creulon yr olwg yna, meddyliodd wrth roi'r sbienddrych yn ôl i Huw.

Ar ôl dychwelyd at ymyl y dŵr, dechreuodd Jake lusgo'r cwch i fyny'r traeth tra safai ei feistr yn edrych arno, heb gynnig help llaw.

"Dwi am fynd i weld beth sy yn y sachau," meddai Jodie gan grafangu heibio i ochr y garreg.

"Bydd yn ofalus," rhybuddiodd Huw.

Ond roedd Jodie eisoes yn dychwelyd ag un o'r sachau. Ar ôl agor y cwlwm a gaeai geg y sach, tynnodd lond llaw o fagiau plastig llawn powdr gwyn allan ohono.

"Cyffuriau!"

Edrychodd y ddau ar ei gilydd cyn rhoi'r bagiau plastig yn ôl, cau ceg y sach yn ofalus a'i ddychwelyd at y sachau eraill.

"Reit, dwi am ffonio'r heddlu," meddai Huw. Ond

cyn iddo gael cyfle i wasgu'r botymau, cipiodd braich ynddo a disgynnodd y ffôn o'i law.

"Ddudis i fod 'na rywun o gwmpas," meddai Jake gan ddal Huw a Jodie fel dwy ddoli glwt yn ei ddwylo cryfion.

"Be dach chi isio i mi neud hefo nhw, Bòs?"

"Clyma nhw, yn y cwt. Mi ddo i'n ôl i ddelio hefo nhw ar ôl i mi orffen fy musnes hefo'r *dealers*," atebodd Bòs cyn gafael yn y sach a cherdded am y llwybr serth a arweiniai o'r traeth.

"Stopiwch strancio!" rhybuddiodd Jake gan gario'r ddau dan ei geseiliau. Yna, ar ôl cyrraedd y cwt, rhoddodd nhw i orwedd ar lawr tamp *Leusa Lân* a chlymu eu coesau a'u breichiau gyda rhai o raffau Wil Thomas. Yna, gorchuddiodd y cwch gyda'r tarpolin a'u gadael mewn tywyllwch.

"Waeth i chi heb â gweiddi am help achos does neb byth yn dŵad i'r traeth 'ma. Mi fydda i a Bòs yn ôl heno," meddai gan gerdded allan o'r cwt a bolltio'r drws ar ei ôl.

Cyn gynted ag y clywodd y plant Jake yn cerdded i ffwrdd, dechreuodd y ddau wingo er mwyn cael eu breichiau'n rhydd. Ond roedd o wedi eu clymu mor dynn, doedd dim posib agor y clymau.

"Dwi am drio cael y tarpolin 'ma i ffwrdd er mwyn cael rhywfaint o olau," meddai Jodie gan gicio'i thraed a oedd wedi eu clymu'n dynn yn ei gilydd. Dechreuodd Huw gicio hefyd a chyn hir roedd y tarpolin wedi llithro i'r ochr gan adael ychydig o olau gwan i mewn i'r cwch.

"Dyna welliant," meddai Jodie. "Tro ar dy ochr er mwyn i mi drio agor y clymau sy am dy arddyrnau di hefo 'nannedd. Mae gen i ddannedd miniog iawn, 'sti!"

"Wel, tria beidio 'mrathu *i!*" meddai Huw gan droi ar ei ochr.

"Ych a pych! Mae 'na flas afiach ar yr hen raff 'ma ac mae hi'n galed fel haearn. Ond cheith hi ddim y gorau arna i!" meddai Jodie gan frathu'r rhaff hallt unwaith eto. Ac ar ôl poeri, tagu a chnoi am bron i awr gyfan, llwyddodd o'r diwedd i dorri drwy'r rhaff a rhyddhau dwylo Huw.

"Mae 'nannedd i'n brifo a dwi jyst â thagu isio diod," meddai Jodie.

"Aros i mi gael rhywfaint o deimlad yn ôl i fy nwylo a rhyddhau fy nghoesau," meddai Huw gan rwbio ei arddyrnau. "Yna, mi wna i gael y botel ddŵr o 'mag i ti."

"Wel, pryd wyt ti am dorri'r rhaffau 'ma sy'n fy nghlymu i 'ta?" holodd Jodie ar ôl iddi yfed peth o'r dŵr o'r botel a ddaliai Huw wrth ei cheg.

"Rho gyfle i mi, wir!" meddai Huw gan estyn am ei gyllell boced a thorri'r rhaffau oedd yn clymu ei dwylo a'i choesau. Yna, tra oedd Jodie'n rhwbio ei fferau a'i harddyrnau, dringodd Huw allan drwy ffenest y cwt ac agor y bolltau oedd yn cloi'r drws.

"Rhaid i ni ffonio'r cops," meddai Jodie. "Lle mae dy ffôn di?"

"Mi ddisgynnodd o fy llaw pan ddaliodd Jake ni. Mae'n siŵr ei fod o'n dal wrth y garreg fawr."

Ond, yn anffodus, daeth Huw o hyd i ddarnau o'i ffôn wedi eu gwasgaru ar y tywod. Roedd Jake wedi ei falu'n deilchion cyn gadael y traeth. Eisteddodd y ddau wrth droed y garreg i bwyso a mesur beth i'w wneud nesaf. O be welai Huw, roedd dau ddewis – dringo'r llwybr serth at y tŷ neu fynd yn ôl drwy'r ogof a'r twnnel.

"Mae'n beryg iddyn nhw ein gweld ni ar y llwybr a'n dal ni eto," meddai Jodie.

"Dwi ddim yn gweld pwynt mynd yn ôl drwy'r twnnel achos maen nhw'n siŵr o'n dal ni yn y seler," meddai Huw. "Ac mae'n well i ni beidio tynnu eu sylw at y twnnel rhag ofn iddyn nhw ddod o hyd i'r trysor."

"Mae 'na un peth arall fedrwn ni wneud," meddai Jodie gan edrych i gyfeiriad y cwt. "Mi fedrwn ni gymryd y cwch a rhwyfo o 'ma."

"Jodie Parry, rwyt ti yn jiniys!" meddai Huw gan redeg yn ôl at y cwt.

11
ARWYR

"Wyt ti'n gallu rhwyfo?" gofynnodd Jodie ar ôl gwthio'r cwch i'r dŵr.

"Yndw. Mi fyddwn i'n cael cyfle gan Wil Thomas ambell waith pan oedd y môr yn dawel, fel mae o heddiw."

"Diolch byth am hynny, achos sgen i ddim syniad."

"Ond gwell i ni wisgo'r rhain," meddai Huw gan estyn am ddwy siaced achub o ben blaen y cwch.

Wrth i Huw rwyfo'r cwch o'r lan, edrychodd Jodie ar yr haul yn araf lithro'n is yn yr awyr. Tybed faint o'r gloch oedd hi?

"Mae hi'n siŵr o fod tua hanner awr wedi saith bellach," atebodd Huw wrth edrych dros ei ysgwydd ar yr haul. "Mi fydd Mam a Dad yn dechrau poeni amdanan ni."

"Neith Mam ddim sylwi tan yn hwyr heno," meddai Jodie, "achos mi fydd hi allan yn chwarae Bingo. Ble awn ni?"

"Mae traeth y pentre yr ochr arall i'r trwyn acw," atebodd Huw gan amneidio at glogwyn mawr. "Ac mae 'na gei yno lle gallwn adael *Leusa Lân* a chysylltu â'r heddlu. Rŵan, eistedda di'n ôl a mwynha'r fordaith!"

"Mi fydd yn dda gen i gael fy nhraed ar dir sych," atebodd Jodie a deimlai braidd yn sâl wrth i'r cwch siglo'n ysgafn ar y tonnau.

Hanner awr yn ddiweddarach, cafodd Jodie ei dymuniad

ac ar ôl clymu'r cwch wrth ochr y cei aeth y ddau at y ciosg a safai ger y traeth.

"Oes gen ti bres i roi yn y ffôn?" holodd Huw.

"Dim ond rhain!" meddai Jodie yn wên o glust i glust, gan dynnu dwy sofren aur o'i phoced.

"Doedd gen ti ddim hawl i'w cymryd nhw! 'Dan ni ddim yn gwybod pwy piau'r trysor eto!"

"Paid â bod mor flin. Dim ond dwy 'nes i gymryd. Un bob un, i gofio am ein hantur. Mae 'na filoedd ar ôl yn y gist a does wybod pwy sy'n mynd i'w hawlio nhw. Dim ni, reit siŵr i ti!"

"Ella dy fod ti'n iawn," meddai Huw gan bocedu un sofren. "Rŵan, mae'n rhaid cysylltu â'r heddlu cyn i Bòs a Jake werthu'r cyffuriau. Dwi newydd gofio nad oes angen talu am alwadau brys!"

"Paid â sôn wrth y cops am y stwff yn y seler neu mi fyddwn ni mewn trwbl am dorri i mewn i'r tŷ, a 'dan ni ddim isio iddyn nhw gael hyd i'r twnnel chwaith," rhybuddiodd Jodie.

Mewn byr amser wedi i Huw wneud yr alwad 999, cyrhaeddodd tri cherbyd heddlu draeth y pentre, a'u goleuadau glas yn fflachio. Rhoddwyd Jodie ac yntau i eistedd yng nghefn un o'r ceir a chawson nhw eu holi'n fanwl am symudiadau'r ddau ddyn ar y traeth gan yr Arolygydd a oedd yn ngofal yr achos.

"Sut dach chi mor siŵr mai cyffuriau oedd yn y sach?" holodd yr arolygydd.

Disgrifiodd Huw sut roedden nhw wedi agor ceg y sach i weld beth oedd ynddo tra oedd y dynion yn cadw'r cwch.

"Roeddech chi'n mentro'n ofnadwy. Does wybod be allai'r dynion fod wedi ei wneud i chi petaen nhw wedi'ch dal chi."

Edrychodd y plant ar ei gilydd cyn adrodd yr hanes am sut y cafodd y ddau eu dal gan Jake a'u carcharu yn y cwt pysgota.

"Wel, wel!" meddai'r Arolygydd. "Dach chi'n ddewr iawn. Rydan ni wedi bod yn amau bod smyglwyr yn gweithio yn yr ardal ers sbel a diolch i chi, mae cyfle da iawn i'w dal heno 'ma. Rŵan, mi eith Sarjant â chi adra yn y car. Mae'n siŵr fod eich rhieni'n poeni amdanoch chi a hithau'n hwyrhau."

"Ond 'dan ni isio gweld y dynion yn cael eu harestio!" protestiodd Jodie.

"Na, dach chi wedi cael digon o antur am un diwrnod ac efallai fod y dynion yn beryglus."

"Be am y beics?" holodd Huw. "Mi wnaethon ni eu gadael yn yr hen sgubor y tu ôl i'r tŷ cyn mynd i'r traeth."

"Fe anfonwn ni'r beiciau yn ôl i chi bore fory ac mi gewch chi'r hanes i gyd yr adeg hynny."

★

Erbyn i Huw gyrraedd adref roedd Megan, Elfyn a Catrin ar bigau'r drain ac ar fin cysylltu â'r heddlu i roi gwybod fod Huw a Jodie ar goll.

"Peidiwch â dwrdio gormod," meddai'r Sarjant. "Mae'r plant yma'n arwyr ac oherwydd eu dewrder nhw, mi fydd dau ddihiryn rydan ni'n trio eu dal ers misoedd dan glo heno 'ma, gobeithio."

Cyn mynd i'r gwely, adroddodd Huw'r hanes i gyd wrth ei deulu – am y seler a'r twnnel a'r trysor.

"Paid â malu awyr!" meddai Catrin gan chwerthin. "Rwyt ti 'di darllen gormod o storïau am fôr-ladron a smyglwyr. Does 'na ddim twnnel o dan Graig yr Wylan a does 'na ddim trysor chwaith!"

"Wel, be ydi hon 'ta?" holodd Huw gan dynnu'r sofren a gafodd gan Jodie o'i boced.

Edrychodd ei fam a'i dad ar ei gilydd – roedd hi'n amlwg eu bod hwythau wedi meddwl bod Huw'n rhaffu celwyddau hefyd. Ond, roedd y sofren aur yn un hen iawn ac os oedd Huw'n dweud y gwir, roedden nhw wedi bod yn eistedd ar ffortiwn ar hyd y blynyddoedd.

"Petaet ti wedi llnau'r hen silffoedd gwin 'na yn y seler, ella y baset ti wedi dod o hyd i'r trysor cyn hyn," meddai Megan wrth ei gŵr. "Yna, mi fysan ni wedi gallu aros yng Nghraig yr Wylan!"

Pwyntiodd Elfyn at Huw a oedd wedi syrthio i gysgu ar gadair y gegin.

"Mae o wedi cael diwrnod caled. Mi drafodwn ni beth i'w wneud am y trysor bore fory," meddai gan gario ei fab i'r gwely.

★

Fore trannoeth, dychwelodd y Sarjant gyda'r beiciau. Yna, dros baned o de, adroddodd hanes y noson cynt. Roedd yr heddlu wedi cyrraedd mewn pryd i ddal y dynion cyn iddyn nhw gael cyfle i werthu'r cyffuriau ac unwaith iddyn nhw gael eu holi yng ngorsaf yr heddlu, dechreuodd Jake fwrw ei fol a beio ei feistr am bopeth.

"Wyddoch chi beth arall wnaethon ni ffendio wrth archwilio'r tŷ?" meddai'r Sarjant. "Llond seler o stwff wedi ei ddwyn – diodydd, sigaréts a phob math o bethau wedi eu storio mewn cratiau! Mae'n amlwg eu bod wedi bwriadu prynu'r tŷ er mwyn ei ddefnyddio fel lle i gadw nwyddau oedd wedi eu smyglo i'r wlad."

"Wnaeth y sarjant ddim sôn yr un gair am y twnnel na'r trysor," meddai Megan ar ôl iddo adael.

"Penderfynodd Jodie a fi beidio sôn am y seler rhag ofn i ni fynd i drwbl am dorri i mewn i'r tŷ," cyfaddefodd Huw.

"Wel, faset ti ddim mewn trwbl am dorri i mewn i dy dŷ dy hun, siŵr iawn!" atebodd Elfyn. "Er ein bod wedi cytuno i werthu Craig yr Wylan, does dim wedi ei arwyddo a dim arian wedi newid dwylo eto. Felly, ni yw'r perchnogion o hyd."

"Felly, ni piau'r trysor?" holodd Huw a'i lygaid fel soseri.

"Dwi ddim mor siŵr o hynny," atebodd ei dad. "Mae'r trysor yn yr ogof, ymhell o dan y tŷ. Ond faswn i'n synnu dim nad yw'r hen Wil Thomas yn gwybod mwy am y peth. Fe awn ni draw i Graig yr Wylan ar ôl i'r heddlu orffen eu hymchwiliadau i gael golwg iawn ar y lle."

"Gaiff Jodie ddŵad hefyd? Fyswn i byth wedi cael hyd i'r twnnel na'r trysor hebddi hi."

12
WIL THOMAS

Pan ddychwelodd Huw a Jodie i'r ysgol y dydd Llun canlynol cawson nhw eu trin fel arwyr gan yr athrawon a'r plant. Roedd eu hanes yn helpu i ddal y smyglwyr wedi ei ddarlledu ar y newyddion, a lluniau o'r ddau wedi ymddangos ar dudalennau blaen y papurau newydd. Daeth hyd yn oed Liam Jones at Huw a'i longyfarch ac roedd y genethod, a fyddai fel arfer yn anwybyddu Jodie, yn ei holi am holl fanylion yr hanes dro ar ôl tro. Ond, er yr holl sylw, ddywedodd y ddau ddim gair am y twnnel a'r trysor. Eu cyfrinach nhw oedd hynny ac allen nhw ddim aros i gael dychwelyd i Graig yr Wylan eto.

*

Roedd pethau wedi gwella hefyd yng nghartref Huw ar ôl i'w dad ddechrau gweithio yn yr archfarchnad. Daeth adref un noson yn wên o glust i glust gan ei fod wedi cael cynnig bod yn is-reolwr y siop pan sylwodd y cwmni ar y profiad helaeth oedd ganddo.

"Diolch byth am hynny," meddai Megan. "Mi gawn ni symud o'r stad 'ma cyn hir a chael tŷ mwy o faint, a stafell wely bob un i Huw a Catrin."

"Ac mi fedrwn ni fforddio prynu car hefyd."

"Pryd gawn ni fynd i weld y trysor, Dad?" holodd Huw. "Mae wythnosau wedi mynd heibio."

"Fel mae'n digwydd, mi ges i alwad gan yr Arolygydd sy yng ngofal yr achos bore heddiw yn deud y byddan nhw wedi gorffen eu hymchwiliadau yn y tŷ ymhen rhyw wythnos neu ddwy. Felly, cawn fynd i Graig yr Wylan cyn hir."

★

Rai wythnosau'n ddiweddarach daeth tymor yr ysgol i ben ac roedd chwe wythnos o wyliau haf o flaen Huw cyn iddo ddechrau yn yr ysgol uwchradd lle câi ymuno â'i hen ffrindiau o ysgol y pentre unwaith eto.

"'Nei di ddim fy anwybyddu i ar ôl i ni fynd i'r ysgol fawr, na 'nei?" holodd Jodie un diwrnod wrth ymarfer cicio o'r smotyn yng ngardd gefn Huw.

"Na wnaf, siŵr iawn! Ti ydi fy ffrind gora," atebodd wrth i Jodie daro'r bêl heibio iddo i'r rhwyd.

"Huw, Jodie! Dewch yma am funud," galwodd Elfyn. "Mae'r heddlu newydd ffonio i ddweud ei bod hi'n iawn i ni fynd yn ôl i Graig yr Wylan. Dach chi am ddŵad?"

Doedd dim angen gofyn ddwywaith. Rhedodd y ddau at y car newydd a chyn hir roedden nhw'n gwibio allan o'r dre i gyfeiriad Craig yr Wylan.

Ar ôl cyrraedd y tŷ, aeth y tri i lawr i'r seler yn syth.

"Wel, ma'r cops wedi bod yn brysur," meddai Jodie wrth sylwi ar y seler wag. "Mae'r stwff i gyd wedi mynd. Gobeithio na chawson nhw hyd i'r twnnel."

Ond doedd dim rhaid iddi boeni. Roedd y silffoedd llychlyd yn eu lle a doedd dim golwg bod yr heddlu wedi cyffwrdd â nhw. Dangosodd Huw i'w dad sut i agor y drws cudd yng nghefn y silffoedd a chyn hir roedd y tri'n ymbalfalu drwy'r twnnel cul, i lawr y grisiau serth cyn cyrraedd yr ogof.

"Reit 'ta, lle mae'r gist?" holodd Elfyn gan fflachio ei dortsh ar y waliau creigiog.

"Draw yn fan'cw, ond peidiwch â deffro'r ystlumod!" meddai Jodie gan godi cwfl ei thop dros ei phen. Ond cyn hir roedd hi wedi anghofio popeth am yr ystlumod wrth syllu ar y darnau aur a lenwai'r gist.

Chwibanodd Elfyn dan ei wynt pan welodd y trysor. Roedd y plant yn dweud y gwir – roedd miloedd o sofrenni aur yn y gist a'r rheini siŵr o fod yn werth ffortiwn. Tynnodd nhw allan yn ofalus a'u gosod mewn pentyrrau ar lawr yr ogof er mwyn eu cyfri.

"Tair mil, naw cant, naw deg ac wyth," meddai gan ysgwyd ei ben ar ôl cyfri'r sofrenni'n ofalus.

"Pedair mil union, yn cynnwys y ddau ddarn 'nes i'u cymryd," meddai Jodie.

"Maen nhw'n gwerthu am tua dau gant a hanner o bunnoedd yr un yn ôl Google," meddai Huw.

"Mae hynna'n filiwn o bunnoedd!" gwaeddodd Jodie ar ôl cyfri'n gyflym yn ei phen.

"Reit, mae'n well i ni eu rhoi i gyd yn ôl yn y gist a rhoi gwybod i'r awdurdodau," meddai Elfyn. "Dewch, rhowch help llaw i mi. A dim pocedu rhai, Jodie – nid ni sy piau nhw, cofia!"

Wrth i Huw ddechrau ail-lenwi'r gist, trawodd ei lygaid ar amlen a oedd wedi ei glynu y tu mewn i'r caead. Fflachiodd olau ei dortsh i weld beth oedd wedi ei ysgrifennu ar flaen yr amlen a bu bron iddo lewygu pan welodd ei enw ei hun wedi'i brintio mewn llythrennau bras. Â dwylo crynedig, tynnodd Huw'r llythyr o'r amlen a'i roi i'w dad i'w ddarllen.

Annwyl Huw,

Os byddi di'n darllen y llythyr yma, mi fyddi wedi dod o hyd i fy nhrysor. Ia, fi sydd berchen y trysor a does ganddo ddim i'w wneud â smyglwyr. Stori oedd honno i dy gael di i fynd i chwilio am y twnnel.

Arian fy hen, hen daid a wnaeth ei ffortiwn bron i ddau gan mlynedd yn ôl yn Llundain sydd yn y gist. Pan ddychwelodd i Gymru, penderfynodd gadw'r aur yn hen dwnnel y smyglwyr a oedd wedi gadael yr ardal erbyn hynny.

Daeth y trysor i lawr drwy'r teulu i fy hen daid, yna fy nhaid a'm tad, heb i ni ei gyffwrdd o. Ond gan nad oes gen i deulu agos ac mai ti ydi'r peth agosa at fab a fu gen i erioed, rwyf yn gadael y cyfan i ti, gan obeithio y cei di gyfle i ddod o hyd iddo ryw ddydd.

Yn gywir iawn, dy hen ffrind,
William Thomas

Ar ôl ailddarllen y llythyr yn ofalus, edrychodd y tri ar ei gilydd. Os oedd Wil Thomas yn dweud y gwir, roedd Huw'n filiwnydd!

"Mi fydd yn rhaid i ni fynd i weld Wil Thomas i gael eglurhad iawn," meddai Elfyn ar ôl dod ato ei hun. "Dewch, mae'n rhaid i ni adael y trysor yma tan hynny."

★

Ddau ddiwrnod yn ddiweddarach aeth Huw a'i deulu i weld Wil Thomas i'r cartref henoed ar gyrion Birmingham. Pan gawson nhw eu cludo i ystafell yr hen ŵr bu bron i Huw grio wrth weld y fath newid yn ei hen ffrind a eisteddai'n swrth mewn cadair freichiau a syllu ar y wal foel o'i flaen. Roedd gwrid iach gwynt y môr wedi diflannu o'i wyneb a'i adael yn welw a thenau. Ond pan welodd pwy oedd ei ymwelwyr, daeth bywyd yn ôl i'w lygaid a llonnodd drwyddo.

"Rydw i mor falch o'ch gweld chi," meddai, gan afael yn dynn ym mraich Huw. "Does 'na neb i siarad Cymraeg hefo fi fan hyn. Unwaith y gwnaeth plant fy nghyfnither sylweddoli nad oedd gen i arian i'w adael iddyn nhw, ddaethon nhw ddim ar fy nghyfyl i wedyn. Dim ond fy ngadael i'n fama, gannoedd o filltiroedd o'r môr," meddai cyn torri i lawr i grio.

Ar ôl i'r hen ŵr ddod ato'i hun, adroddodd Huw'r hanes am sut y daeth o a Jodie o hyd i'r trysor wrth guddio rhag y smyglwyr.

"Wel, rydw i mor falch," meddai Wil Thomas. "Petawn i'n gwybod bod y teulu am fy symud i i'r hen le 'ma, mi faswn i wedi dangos y trysor i ti cyn hyn, Huw bach. Ac i feddwl eich bod chi wedi gorfod gadael Craig yr Wylan hefyd... Gallai'r trysor fod wedi aros yn yr ogof heb i neb wybod amdano am byth. Neu, yn waeth na hynny, gallai'r hen ddynion drwg 'na fod wedi dod o hyd iddo fo. Ro'n i ar fai na faswn i wedi gwneud pethau'n iawn cyn hyn – ond ro'n i wedi bwriadu mynd â chdi i lawr drwy'r drws cudd yn y cwt cwch a dangos y trysor i ti pan fysat ti'n hŷn."

"Ydach chi'n hollol siŵr, William Thomas, eich bod chi am adael eich ffortiwn i gyd i Huw?" gofynnodd Elfyn. "Fysa ddim yn well i chi ddefnyddio peth o'r arian i brynu tŷ i chi eich hun yn nes at y môr?"

"Mae gen i ofn na fedrwn i fyw ar ben fy hun bellach. Fedra i ddim cerdded ar ôl yr hen strôc 'na ges i'n ddiweddar ac mae angen gofal arna i," meddai Wil gan rwbio ei goesau diffrwyth. "Ond peidiwch chi â phoeni amdana i, mi fydda i'n iawn yn fama rŵan, o wybod bod y trysor yn ddiogel. Ond mi faswn i'n licio i ti addo un peth i mi," meddai'r hen ŵr gan syllu i fyw llygaid Huw. "'Nei di ofalu am yr hen *Leusa Lân* i mi? Mi fysa'n gas gen i feddwl bod 'na ryw hen ddynion drwg yn cael gafael ynddi eto."

"Mi faswn i wrth fy modd cael gwneud hynny," meddai Huw'n drist. "Ond gan ein bod ni'n byw yn Dre bellach, tydi hi ddim yn bosib i mi gadw llygad ar…" Yna'n sydyn, goleuodd ei wyneb a throdd i edrych ar ei rieni. "Os ydi'r sofrenni aur yn werth ffortiwn, allwn ni fforddio symud yn ôl i Graig yr Wylan?"

"Wel, a dweud y gwir, gan 'mod i wedi cael gwaith sy'n talu'n dda erbyn hyn, ro'n i wedi cysidro symud yn ôl yno beth bynnag. Be wyt ti'n feddwl o'r syniad, Megan?" gofynnodd Elfyn, gan droi at ei wraig a oedd wedi bod yn eistedd yn anarferol o dawel ers iddynt gyrraedd y cartref.

"Dwi 'di bod yn meddwl," meddai gan godi a mynd at Wil Thomas. "Gan 'mod i'n nyrs, mi allwn i ofalu amdanoch chi pe baech chi'n dŵad i fyw aton ni i Graig yr Wylan. Mae digon o le yno."

"O Mam, mi fysa hynna'n grêt!" meddai Huw gan gofleidio Megan. "Gallwn ni droi'r parlwr ffrynt…"

"Na, na," protestiodd Wil. "Faswn i byth yn dŵad ar draws eich cartref chi. Mi fydda i'n iawn yn fama, peidiwch chi â phoeni amdana i."

"Wel, be am y sgubor?" cynigiodd Catrin. "Mi fysa'n bosib troi honno'n dŷ braf iawn."

"Catrin, rwyt ti'n jiniys! Mi fysa gan Wil le iddo fo ei hun wedyn yn ddigon agos i ni gadw golwg arno fo," meddai Megan. "Be wyt ti'n ei feddwl, Elfyn?"

"Syniad ardderchog. Dwi'n siŵr y cawn ni ganiatâd i droi'r sgubor yn gartref," meddai Elfyn. "Ro'n i wedi bwriadu ei throi'n dŷ gwyliau cyn i mi golli 'ngwaith, beth bynnag."

"Ddowch chi'n ôl i fyw i'r sgubor, Wil Thomas? Mi fysan ni wrth ein bodd yn eich cael chi'n gymydog unwaith eto. Mi allwch weld y traeth a chadw llygad ar y cwt pysgota a Leusa Lân i wneud yn siŵr 'mod i'n ei gwarchod yn iawn i chi."

"Wel, be fedra i ddeud?" meddai'r hen ŵr drwy ei ddagrau. "Mi faswn i wrth fy modd."

13
PARTI NOS GALAN

Erbyn gwyliau'r Nadolig roedd yr hen sgubor ger Craig yr Wylan wedi ei haddasu'n dŷ un llawr perffaith ac roedd Elfyn wedi gyrru draw i'r cartref henoed i nôl yr hen ŵr.

"Mi fyddan nhw yma cyn hir," meddai Huw. "Fedra i ddim aros i weld wyneb Wil Thomas pan welith o'r lle 'ma."

"Helpa fi i symud y gadair freichiau yn nes at y ffenest. Dwi'n siŵr y bydd o wrth ei fodd yn eistedd yn fan hyn yn gwylio'r traeth," meddai Megan.

Ar hynny, rhuthrodd Catrin i mewn i'r ystafell a'i gwynt yn ei dwrn, gan weiddi eu bod wedi cyrraedd. Yna, rhedodd y tri allan i groesawu'r hen ŵr.

Wrth edrych o'i gwmpas, llanwodd llygaid Wil ac ni allai ddweud gair. Ond roedd y wên ar ei wyneb yn ddigon iddyn nhw wybod eu bod wedi gwneud y peth iawn ac y byddai'n hynod o hapus yn ei gartref newydd.

Ar ôl ychydig ddyddiau, roedd y gwahaniaeth yn ei iechyd yn amlwg. Roedd aer y môr wedi gwneud byd o les iddo ac roedd lliw iach yn dechrau dychwelyd i'w ruddiau.

"Gan fod Wil Thomas gymaint yn well, mae'ch tad a finna'n teimlo y gallwn gael parti i ddathlu popeth sy wedi digwydd," meddai Megan. "Felly, Catrin a Huw, cewch wahodd eich ffrindiau draw dros y flwyddyn newydd."

"Grêt, mi faswn i'n licio rhoi gwahoddiad i Jodie a'i theulu," meddai Huw ar ei union.

"O na! Fedrwn ni ddim cael Jordan a Jason yma," meddai Catrin a siom yn ei llais. "Fyddan nhw ddim yn gwybod sut i ymddwyn yn iawn."

"Paid â bod yn snob, Catrin," meddai ei thad. "Mi fu'r ddau'n dda iawn hefo Huw pan oedd yr hogia 'na'n bygwth ei guro fo. Mi drefna i dacsi iddyn nhw."

★

Pan gyrhaeddodd y teulu Parry Graig yr Wylan ar Nos Galan roedd y tŷ'n llawn o deulu a ffrindiau a safai o amgylch yn sgwrsio, yfed a bwyta. Crogai goleuadau Nadolig ym mhob ffenest a safai coeden anferth, lawn addurniadau yn y cyntedd wrth ochr yr hen gloc mawr. Yn ei hystafell wely, dawnsiai Catrin a'i ffrindiau i gerddoriaeth disgo a atseiniai drwy'r tŷ, tra chwaraeai Huw, Meurig, Osian a Gethin gêmau ar yr Xbox a'r Wii yn llofft Huw. Braf oedd cael ystafelloedd ar wahân unwaith eto.

Aeth Jodie ar ei hunion i fyny'r grisiau at y bechgyn i chwarae'r gêmau.

Ar ôl cael ei chroesawu gan Megan, aeth mam Jodie i helpu ei hun o'r bwffe a lenwai bwrdd y gegin cyn gwneud ei hun yn gyfforddus o flaen y teledu yn yr ystafell fyw gyda hen fodryb i Elfyn a oedd wedi gwirioni ar operâu sebon fel hithau.

Cyn gynted ag y cawsant gyfle, sleifiodd Jordan a Jason allan er mwyn cael golwg ar y traeth roedden nhw wedi clywed gymaint amdano gan Jodie. Roedd hi'n noson serog glir a disgleiria'r lleuad yn un belen fawr wen uwch eu pennau gan daflu ei hadlewyrchiad ar y môr llonydd. Ar ôl dychwelyd i'r tŷ aeth y ddau i'r parlwr ffrynt lle'r oedd Wil Thomas yn eistedd fel brenin yn ei gadair olwyn, yn adrodd storïau'r môr wrth unrhyw un a wrandawai arno. Eisteddodd Jordan a Jason wrth draed yr hen forwr a chyn diwedd y noson roedd y ddau wedi penderfynu eu bod hwythau am gael gyrfa ar y môr. Wedi'r cwbl, byddai'n llawer gwell gael cyfle i weld y byd na chicio'u sodlau o gwmpas y stad yn ddi-waith.

Wrth iddi agosáu at hanner nos, daeth pawb at ei gilydd i'r cyntedd i groesawu'r flwyddyn newydd. Safai Huw a Jodie wrth y drws a arweiniai i'r seler.

"Ma hi'n teimlo fel oes yn ôl ers pan gawson ni hyd i'r twnnel," meddai Huw. "Ac mae gymaint o bethau wedi digwydd ers hynny."

"Dwi'n hapus drosot ti, Huw," meddai Jodie'n dawel.

"Yli, Jodie, mae Wil a fi wedi…"

Ond chafodd Huw ddim gorffen yr hyn roedd am ei ddweud, gan i'r hen gloc mawr ddechrau taro hanner nos ac aeth y lle'n ferw gwyllt wrth i bawb ddymuno blwyddyn newydd dda i'r naill a'r llall.

Wedi i bawb dawelu ychydig, dywedodd Wil Thomas ei fod am gymryd y cyfle i ddiolch i Megan, Elfyn, Catrin a Huw am eu holl ofal drosto.

"Ond mae yna un arall yma heno hefyd y mae fy nyled i'n fawr iddi," ychwanegodd, gan droi yn ei gadair olwyn i wynebu Jodie. "Dwi'n deall mai chi, 'mechan i, fu'n gyfrifol am i Huw 'ma ddod o hyd i'r trysor. Felly mi faswn i'n falch iawn petaech chi'n derbyn siâr o'r arian.

Rydan ni wedi bod mor hy ag agor cyfri banc yn eich enw chi'n barod. Huw, dos i nôl y papurau i ddangos iddi."

Pan ddaeth Huw yn ôl gyda'r dogfennau banc, syllodd Jodie arnynt yn fud. Y tu ôl iddi safai ei mam, Jordan a Jason yn gegagored – doedden nhw erioed wedi breuddwydio y byddai Jodie mor gyfoethog. Ni fyddai'n rhaid iddi boeni am brynu dillad ac esgidiau newydd byth eto!

"Mi faswn i'n hoffi cynnig llwnc destun," meddai Elfyn gan godi ei wydr. "I Wil, Jodie, Huw a Chraig yr Wylan!"

"I Wil, Jodie, Huw a Chraig yr Wylan!" atebodd pawb.

Dyma rai nofelau eraill tebyg i *Gyfrinach Craig yr Wylan*:

Roedd corff marw'n drymach na'r disgwyl.

JAC

GUTO DAFYDD

pen
dafad

£3.95

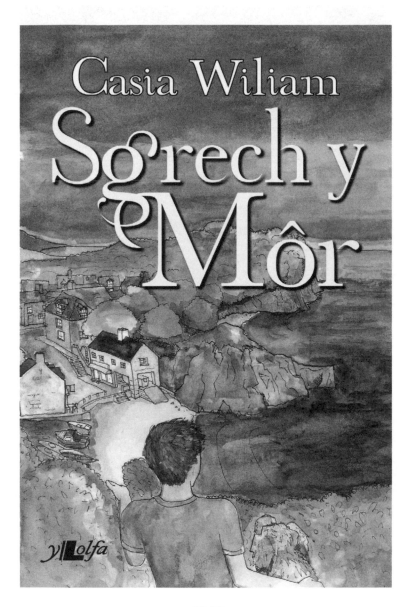

Casia Wiliam
Sgrech y Môr

£5.95

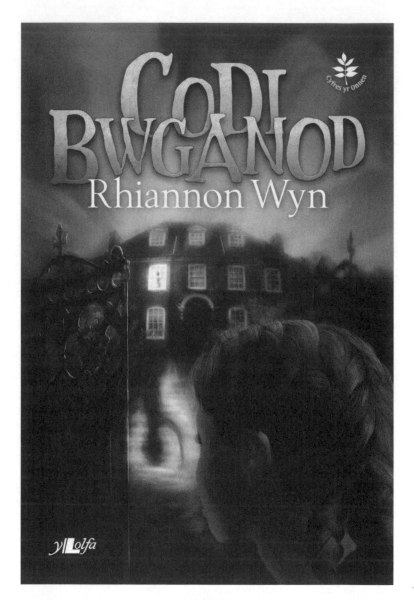

CODI BWGANOD

Rhiannon Wyn

yl Lolfa

£5.95

Y Cwestiwn mawr

Meinir Pierce Jones

EUROPEAN UNION

UNITED KINGDOM OF
GREAT BRITAIN
AND NORTHERN IRELAND

y Lolfa

£5.95

Am restr gyflawn o nofelau cyfoes Y Lolfa,
mynnwch gopi o'n catalog rhad
neu hwyliwch i mewn i'n gwefan

www.ylolfa.com

lle gallwch archebu llyfrau ar lein

Talybont Ceredigion Cymru SY24 5HE
ebost ylolfa@ylolfa.com
gwefan www.ylolfa.com
ffôn 01970 832 304
ffacs 832 782